Giulia de Savorgnani   Beatrice Be

Chiaro!

corso di italiano

Libro dello studente
ed eserciziario

A1

'ALMA.tv

la prima WEB TV dedicata alla lingua e alla cultura italiana

Per approfondire il percorso di apprendimento proposto in *Chiaro!* vai su ALMA.tv e guarda un video in italiano, partecipa ai concorsi, commenta e condividi con i tuoi amici le cose che ti piacciono di più.
Segui i suggerimenti dati nel libro e scopri tanti video, film, esercizi, test, giochi per esercitarti e scoprire la cultura italiana!

WWW.ALMA.tv

Chiaro! A1, Corso di italiano

Autrici: Giulia de Savorgnani (lezioni e grammatica), Beatrice Bergero (eserciziario e unità di ripasso)

Consulenti: Anna Barbierato, Rita Cagiano, Myriam Fischer Callus, Maria Grazia Amerio Klostermann, Anna Mandelli, Danila Piotti, Tiziana Raimondo

Le autrici desiderano ringraziare gli amici e colleghi che hanno contribuito mediante la revisione o la sperimentazione in classe delle attività.

Direzione del progetto: Giovanna Rizzo
Consulenza scientifica: Ciro Massimo Naddeo, Carlo Guastalla
Redazione: Anna Colella, Euridice Orlandino, Chiara Sandri
Progetto copertina: Sergio Segoloni
Illustrazioni interne: Virginia Azañedo
Progetto grafico: Büro Sieveking
Impaginazione: Andrea Caponecchia

Printed in Italy
ISBN 978-88-6182-250-4

ALMA Edizioni
Viale dei Cadorna, 44
50129 Firenze
Tel. +39 055476644
Fax +39 055473531
alma@almaedizioni.it
www.almaedizioni.it

Introduzione

Chiaro! è un corso di italiano in tre volumi completo di eserciziario e indirizzato a studenti adulti. Grazie a una struttura agile e a obiettivi didattici di immediata comprensione, *Chiaro!* si prefigura come un corso efficace e accessibile, anche per chi non ha mai studiato prima una lingua straniera.

Scopo del corso è consentire agli studenti di gestire in italiano le principali situazioni comunicative quotidiane ed esercitare in modo mirato e graduale le quattro competenze previste dal Quadro Comune Europeo di riferimento per le lingue (ascoltare, parlare, leggere e scrivere).

Un'attenzione particolare è rivolta alla comunicazione orale e all'interazione in classe. Testi autentici e registrazioni vivaci ed interessanti forniscono agli studenti numerose occasioni di confronto orale in coppia o in gruppo in situazioni comunicative riscontrabili nella vita reale.

Le raccomandazioni del Quadro Comune Europeo trovano in *Chiaro! A1*, primo volume della serie, una concretizzazione coerente, in particolare in merito ai concetti seguenti:

- **lo studente autonomo:** gli studenti possono stabilire in modo autonomo il proprio percorso di apprendimento ed inquadrare gli elementi sui quali soffermarsi grazie alle indicazioni presenti nelle attività. Nel portfolio, la sezione *Cosa sai fare?* consente di autovalutare i propri progressi, mentre la rubrica *Come impari?* invita a riflettere sulle proprie modalità di apprendimento linguistico. I minibox intitolati *Consiglio!*, pratici e di utilizzo immediato, accompagnano numerose attività in ciascuna lezione;

- **lo studente ricercatore:** gli studenti vengono invitati ad elaborare le regole morfosintattiche, fissandole così nella propria memoria con maggiore efficacia. La pagina intitolata *Culture a confronto* li esorta invece ad individuare differenze e analogie tra la loro cultura e quella italiana;

- **lo studente che "sa fare":** grazie a *project work*, attività varie ed autentiche di comprensione e produzione orale ed esercizi interattivi, gli studenti acquisiscono competenze linguistiche e comunicano fin dall'inizio con i compagni di corso. Al termine di ogni sezione dell'eserciziario è presente una rubrica intitolata *Dossier*, grazie alla quale è possibile esercitarsi tramite produzioni scritte su temi già affrontati oralmente, documentando così in modo cronologico i propri progressi.

Chiaro! A1 contiene 10 lezioni, 10 schede interculturali *(Culture a confronto)*, 10 pagine di portfolio, 3 unità di ripasso *(Ancora più chiaro)*, 3 test di autovalutazione, 10 capitoli di esercizi, 10 pagine di fonetica e dossier e una grammatica sistematica.

Il CD ROM allegato presenta gli ascolti (con le relative trascrizioni) e le soluzioni dell'eserciziario, il glossario per lezioni, il glossario alfabetico e le pagine di portfolio in formato PDF. È inoltre disponibile un CD audio che comprende tutti i dialoghi indicati nel libro dello studente.

La terza di copertina pieghevole presenta una pratica tabella con la coniugazione dei verbi regolari e dei principali verbi irregolari.

Buon lavoro,

le autrici e l'editore

Vai sul sito web di ALMA Edizioni e scopri l'area web dedicata a *Chiaro!* potrai accedere gratuitamente a test, esercizi interattivi, glossari, attività extra, giochi e molto altro ancora.

www.almaedizioni.it/chiaro

Indice

3   Un caffè, per favore!

Situazione comunicativa
al bar; la colazione

Obiettivi
ordinare e pagare al bar; offrire qualcosa a qualcuno; chiedere il conto; leggere un menù semplice; leggere testi su e parlare di abitudini legate alla colazione

Competenze pragmatiche
fare un sondaggio sulle preferenze e le abitudini dei compagni di classe legate alla colazione; produrre le relative statistiche

Competenze linguistiche
LESSICO: le bevande e gli snack; alcuni cibi; alcuni verbi che esprimono volontà *(vorrei, preferire)*
GRAMMATICA: i verbi regolari della seconda e terza coniugazione *(-ere, -ire)*; la concordanza tra sostantivo e aggettivo (forma singolare); i sostantivi (forme plurali); gli articoli determinativi (forme plurali); il verbo irregolare *bere*; le preposizioni *con* e *senza*
FONETICA: i suoni [tʃ] e [dʒ]

Culture a confronto
la cultura del caffè in Italia

Come impari?
il tuo stile di apprendimento: cosa ti fa assimilare meglio le informazioni e le regole grammaticali?

4   Tutti i santi giorni

Situazione comunicativa
la vita quotidiana; il fine settimana

Obiettivi
chiedere e dire l'ora; parlare della vita quotidiana; riferire eventi in ordine cronologico; esprimere preferenze; parlare di attività svolte nel fine settimana; indicare la frequenza

Competenze pragmatiche
scrivere un breve post per un forum su Internet sul fine settimana; trovare la persona ideale con cui trascorrere il sabato sera

Competenze linguistiche
LESSICO: l'ora; i verbi riferiti ad azioni quotidiane; i momenti della giornata; i giorni della settimana; alcune indicazioni di tempo; alcune attività del tempo libero
GRAMMATICA: i verbi riflessivi; il verbo *piacere* + infinito; i verbi *giocare, andare* e *uscire*; i pronomi indiretti *(mi, ti, gli...)*; le preposizioni *a* e *da* + articolo determinativo; le espressioni di tempo *(dalle... alle...)*; l'interrogativo *Chi?*
FONETICA: i suoni [kw] e [gw]; le consonanti doppie

Culture a confronto
indovina chi viene a pranzo... (occasioni di incontro in famiglia)

Come impari?
imparare il lessico

5   Usciamo insieme?

Situazione comunicativa
le indicazioni stradali; al ristorante

Obiettivi
prenotare un tavolo al ristorante; comprendere una breve indicazione stradale; chiedere la strada; leggere un menù; ordinare e chiedere il conto al ristorante; esprimere le proprie preferenze in materia di cibo; condividere o contestare un'opinione

Competenze pragmatiche
scegliere un ristorante per una cena in compagnia

Competenze linguistiche
LESSICO: gli aggettivi più comuni per descrivere un ristorante; alcune ricette italiane; alcune espressioni di luogo
GRAMMATICA: i verbi *sapere* e *potere*; il verbo *piacere* + sostantivo; le preposizioni *in* e *a*
FONETICA: le frasi interrogative e enunciative

Culture a confronto
cosa si fa e cosa non si fa al ristorante

Come impari?
dedurre il significato di parole sconosciute

6 E tu, cosa hai fatto?

Situazione comunicativa
un'esperienza lavorativa; una festa

Obiettivi
raccontare attività ed eventi passati; riferire eventi in ordine cronologico

Competenze pragmatiche
scrivere un biglietto di auguri

Competenze linguistiche
LESSICO: alcune espressioni legate alla vita quotidiana; alcune espressioni di tempo *(ieri, la settimana scorsa...)*; i mesi; la data; gli auguri
GRAMMATICA: il passato prossimo; l'uso degli ausiliari *essere* e *avere*; alcuni connettivi *(allora, prima, poi)*; l'avverbio *fa*; gli interrogativi *Quando?, Chi?, Con chi?*
FONETICA: i suoni [sk] e [ʃ]

Culture a confronto
fare e ricevere regali

Come impari?
tu e la grammatica

7 Che hobby hai?

Situazione comunicativa
il tempo libero; lo sport; gli acquisti

Obiettivi
parlare di sport e altre attività per il tempo libero; dire che cosa si sa e non si sa fare; sostenere una conversazione semplice per fare la spesa in un negozio di alimentari o al mercato

Competenze pragmatiche
fare acquisti; organizzare una cena in compagnia

Competenze linguistiche
LESSICO: le attività per il tempo libero e gli sport; i verbi *giocare* e *suonare* a confronto; alcune espressioni di frequenza *(una volta al mese...)*; alcuni cibi; i colori; le quantità
GRAMMATICA: i verbi *potere* e *sapere*; la concordanza tra sostantivo e aggettivo (forme plurali); i colori (aggettivi); gli articoli partitivi *(dei, delle, degli...)*; i pronomi diretti; la particella pronominale *ne*; l'interrogativo *Quanto?*
FONETICA: i suoni [ʎ] e [ɲ]

Culture a confronto
la Notte Bianca (feste ed eventi in città)

Come impari?
ascoltare e capire

8 Ci vediamo?

Situazione comunicativa
in giro per una città italiana

Obiettivi
descrivere una città o un quartiere; chiedere e dire dove si trova qualcosa o qualcuno; scrivere un'e-mail per invitare un amico a casa propria; parlare dei mezzi di trasporto urbano

Competenze pragmatiche
programmare un giro turistico nella propria città

Competenze linguistiche
LESSICO: le istituzioni e gli edifici pubblici; gli aggettivi per descrivere un'abitazione; alcune espressioni di luogo; i mezzi di trasporto urbano
GRAMMATICA: i verbi *essere* ed *esserci* a confronto; l'uso di *c'è* e *ci sono*; i verbi *venire* e *volere*; le preposizioni *in* e *su* + articolo determinativo
FONETICA: l'intonazione

Culture a confronto
la piazza (punti di ritrovo in città)

Come impari?
leggere e capire

L'italiano utile in classe

1 Frasi e domande utili a lezione

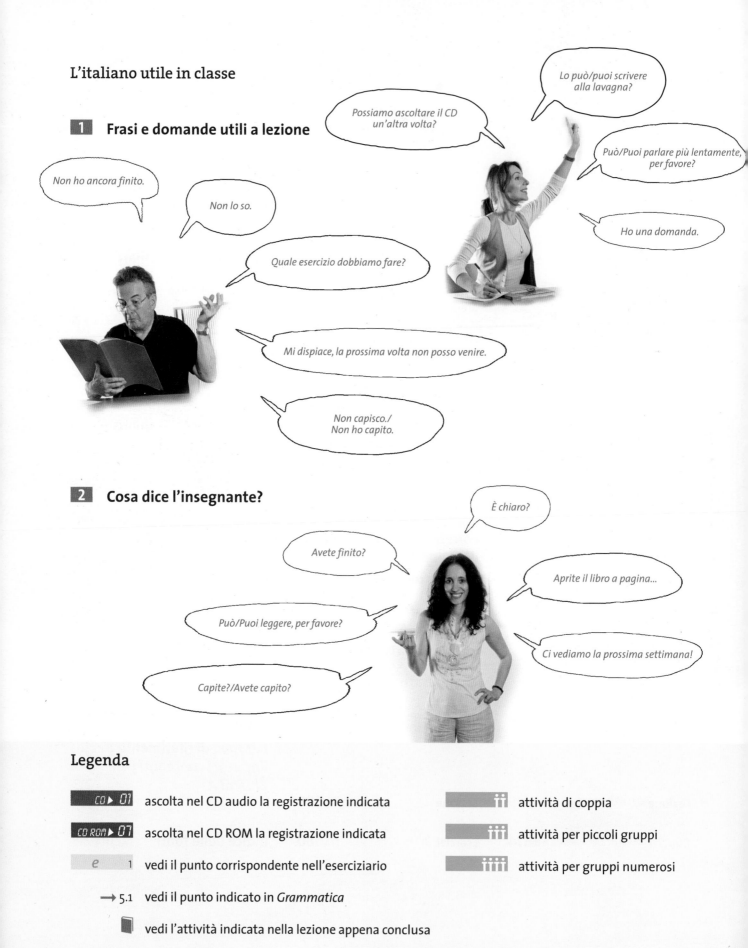

Possiamo ascoltare il CD un'altra volta?

Lo può/puoi scrivere alla lavagna?

Può/Puoi parlare più lentamente, per favore?

Non ho ancora finito.

Non lo so.

Ho una domanda.

Quale esercizio dobbiamo fare?

Mi dispiace, la prossima volta non posso venire.

Non capisco./ Non ho capito.

2 Cosa dice l'insegnante?

È chiaro?

Avete finito?

Aprite il libro a pagina...

Può/Puoi leggere, per favore?

Ci vediamo la prossima settimana!

Capite?/Avete capito?

Legenda

CD ▶ 01	ascolta nel CD audio la registrazione indicata
CD ROM ▶ 07	ascolta nel CD ROM la registrazione indicata
e 1	vedi il punto corrispondente nell'eserciziario
→ 5.1	vedi il punto indicato in *Grammatica*
📖	vedi l'attività indicata nella lezione appena conclusa

attività di coppia

attività per piccoli gruppi

attività per gruppi numerosi

Studio l'italiano!

1

1 Per iniziare

Per me l'Italia è...
Quando pensi all'Italia, che cosa ti viene in mente?

2 Cose d'Italia

a *Associa le parole alle immagini.*
Poi verifica i tuoi risultati con alcuni compagni.

☐ pasta   ☐ museo   ☐ mercato   ☐ mare

☐ gelato   ☐ stazione   ☐ macchina   ☐ opera

☐ vino   ☐ piazza   ☐ treno   ☐ albergo

b *Ordina le parole del punto **2a** nelle categorie qui sotto.*

cibo e bevande	trasporti	tempo libero	vacanze

c *Lavora con alcuni compagni. Quali altre parole italiane conoscete? Fate una lista di parole, poi provate a ordinarle per categoria.*

Consiglio!

Prima di iniziare a studiare una lingua straniera, pensa a quello che già sai. Rimarrai sorpreso!

3 Io sono...

ASCOLTARE E LEGGERE

a *Ascolta e associa ogni dialogo a una fotografia.*

b *Ordina le frasi dei dialoghi.*

▸1 ☒3 Io sono Francesca.

☒2 Ciao, io sono Paolo. E tu come ti chiami?

☒1 Ciao.

▸2 ☒2 Sì, prego!

☒3 Grazie. Mi chiamo Chiara Monfalco.

☒1 Buongiorno. È libero qui?

☒4 Piacere, Nicola Bruni.

▸3 ☒2 Anch'io mi chiamo Carla. Carla Chiesa.

☒3 Ah, piacere. Carla Codevilla.

☒1 Buonasera, sono la vostra insegnante. Mi chiamo Carla. Lei come si chiama?

c *Riascolta i dialoghi e verifica le tue risposte.*

ANALIZZARE

d *Come ti presenti in italiano? Come chiedi il nome di qualcuno?*
Evidenzia le espressioni utilizzate nei dialoghi. Usa un colore diverso per le espressioni formali e informali.

Ora presentati tu.

Io

Grammatica		
	essere	**chiamarsi**
(io)	sono	mi chiamo
(tu)	sei	ti chiami
(Lei)	è	si chiama

4 Come ti chiami?

PARLARE

Saluta un compagno, presentati e chiedigli come si chiama.
Puoi essere formale o informale.

5 I saluti

LAVORARE CON IL LESSICO

a *Nei dialoghi del punto **3b**, cerca le espressioni usate per salutare qualcuno di giorno o di sera e prima di andare via. Poi inserisci le espressioni nella tabella.*

b *Conosci altre espressioni per salutare qualcuno? Se sì, inseriscile nella tabella.*

e   2–8

c *Fai amicizia! In giro per la classe, saluta i compagni di corso e presentati.*

	per salutare quando arrivo	per salutare quando vado via
☀		
☾		

6 Parole, parole, parole

LEGGERE

a *Leggi i testi e <u>sottolinea</u> le parole che capisci.*

Torino Milano
Festival
Internazionale
della Musica
01_25.IX.2008
Seconda edizione
MITO
SettembreMusica

i colori dell'olio
Incontri al Museo tra gastronomia e cultura

Voglia di mare? ✦ AirDolomiti
Lufthansa

tariffe a partire da € 99
Prenotazioni presso le
agenzie di viaggio oppure su
www.airdolomiti.it

TUTTO
INCLUSO

...STE → ALGHERO • VENEZIA → ALGHERO • VENEZIA → NIZZA

Consiglio!
Puoi capire molte parole grazie al contesto, o perché sono uguali o simili a parole in altre lingue.

b *Confronta i tuoi risultati con un compagno: avete <u>sottolineato</u> le stesse parole?*

7 Di dove sei?

CD ▶ 02

a *Ascolta i dialoghi: quale è formale e quale informale?*
Indica le tue risposte con una "X".

Dialogo 1   formale ☐   informale ☐   **Dialogo 2**   formale ☐   informale ☐

b *Leggi i dialoghi e <u>sottolinea</u> gli elementi che indicano se è formale o informale.*

▶ 1   ●◆ Ciao, Paolo!
     ■   Oh, ciao!... Eh... lei è
       Francesca, una collega
       di Bellinzona.
       Francesca... Marina...
     ●   Piacere!
     ○   Ciao!
     ■   ... e lui è Claudio.
     ◆   Ciao!
     ○   Piacere.
     ◆   Allora tu sei svizzera.
     ○   Eh sì! E tu, invece,
       di dove sei?
     ◆   Sono di San Gimignano.

▶ 2   ●   Oh, buongiorno, signor Bruni!
     ■   Buongiorno!... Signora Monfalco... il signor Klum,
       un collega di Vienna.
     ○   Molto lieta.
     ●   Piacere. E Lei, signora, di dov'è?
     ○   Di Torino.

Grammatica

un collega/una collega

c *Trova nei dialoghi l'espressione adatta in queste situazioni (formali e informali).*

presentare qualcuno   _____

essere presentato a qualcuno   _____

chiedere la provenienza di qualcuno   _____

dire la propria provenienza   _____

8 Presentazioni

Lavora con alcuni compagni.
Siete a un incontro di lavoro: presentate i colleghi.

e 9–10

Grammatica

signor/signora

Buongiorno, signor Bruni/signora Monfalco!
(non usare l'articolo quando ti rivolgi direttamente alla persona)

il signor Klum/**la** signora Monfalco
(usa l'articolo negli altri casi)

9 Nazionalità

LAVORARE CON IL LESSICO

a *Indica la nazionalità di queste persone scegliendo tra quelle della lista, come nell'esempio.*

| tedesco | americana | tedesca | austriaco | inglese | spagnola | argentino |
| spagnolo | francese | italiana | olandese | turco | polacca | svedese |

Pedro Almodóvar è _____

Michael Haneke è _____

Gérard Depardieu è _____

David Beckham è _____

Diego Maradona è _____

Monica Bellucci è _____

Claudia Schiffer è _____

Joanne K. Rowling è _____

Juliette Binoche è _____

Indica la tua nazionalità. Fai attenzione alla desinenza dell'aggettivo.
Scrivi anche di dove sei.

Io

Grammatica

lui è tedesco/inglese
lei è tedesca/inglese

PARLARE

b *La classe si divide in due o quattro gruppi.*
Ogni giocatore immagina il nome e la nazionalità di un personaggio di fantasia.
Sul lato di un foglietto scrive il nome, sull'altro (nascosto) la nazionalità.
Poi si appende il foglietto al petto. A turno, ogni studente sceglie un giocatore della squadra avversaria e cerca di indovinare la nazionalità del suo personaggio leggendone il nome. Se indovina, la sua squadra vince un punto, altrimenti il punto va alla squadra avversaria. Avete cinque minuti di tempo!

Esempio: ■ Fabien è francese.

e 11–12

◆ Sì, sono francese./No, non sono francese.

c *Guarda la cartina dell'Italia e scegli una città. Immagina che sia la tua città di provenienza.*
Poi cerca uno studente della stessa città in giro per la classe.

Esempio: ▶ Io sono di Roma. E tu, di dove sei?/E Lei, di dov'è?

● Anch'io sono di Roma./Io sono di Palermo.

10 L'alfabeto

CD ▶ 03

a *Ascolta e ripeti.*

				S *(esse)*	**lettere straniere**
A	E	I	O		J *(i lunga)*
B *(bi)*	F *(effe)*	L *(elle)*	P *(pi)*	T *(ti)*	K *(kappa)*
C *(ci)*	G *(gi)*	M *(emme)*	Q *(cu)*	U	W *(doppia vu)*
D *(di)*	H *(acca)*	N *(enne)*	R *(erre)*	V *(vi/vu)*	X *(ics)*
				Z *(zeta)*	Y *(ipsilon)*

b *Se non sai scrivere una parola in italiano, chiedi all'insegnante: come si scrive...?*
Pensa a una parola che non sai scrivere e fai la domanda all'insegnante, poi scrivi la parola.

c *Chiedi a un compagno come si chiama. Poi chiedigli di fare lo spelling del suo nome e scrivilo.*

Esempio:
▶ Come ti chiami? ◆ Anna Johansson.
▶ Come si scrive Johansson? ◆ I lunga - o - acca - a - enne - esse -esse - o - enne.

11 Per comunicare in classe

a *Che cosa si dice in classe per chiedere aiuto?*
Scrivi la traduzione delle domande in italiano nella tua lingua.

A che pagina?

Come si dice?

Come si scrive?

Che cosa significa?

Come, scusi?

Come si pronuncia questa parola?

Può ripetere, per favore?

b *Lavora con un compagno.*
*Fate quattro domande all'insegnante con le formule indicate al punto **11a**.*

e 13–15

12 I numeri

a *Ascolta i numeri.*

0 zero	**4** quattro	**8** _____	**12** dodici	**16** sedici
1 uno	**5** cinque	**9** _____	**13** tredici	**17** _____
2 _____	**6** sei	**10** dieci	**14** _____	**18** diciotto
3 tre	**7** sette	**11** undici	**15** quindici	**19** diciannove
				20 venti

b *Completa l'elenco dei numeri. Poi riascolta la registrazione e verifica le tue scelte.*

otto | diciassette | due
quattordici | nove

13 Che numero è?

Lavora con un compagno.
Scegli tre numeri tra 0 e 20. Il tuo compagno deve farti alcune domande per indovinare i numeri scelti.

e 16–17

Esempio:
- ▶ Quindici?   ◆ No.
- ▶ Tre?   ◆ No.
- ▶ Dieci?   ◆ Sì!

14 Una conoscenza... per errore

a *Sandro telefona ad Alice. Secondo te, come risponde Alice?*

☐ Ciao!   ☐ Pronto!   ☐ Buongiorno!

b *Ascolta la registrazione, poi verifica la tua risposta e rispondi alle altre domande.*

Sandro vuole...
☐ il numero di telefono di casa di Martina.
☐ il numero di cellulare di Martina.

Che numero ha Martina?
☐ 338 77 66 827
☐ 338 76 76 827
☐ 338 66 67 087

c *Sandro chiama Martina, ma apparentemente lei non lo riconosce. Perché?*

☐ Martina non riconosce la voce di Sandro.
☐ Martina non vuole parlare con Sandro.
☐ La donna che risponde non è Martina.

CD ▶ 06

d *Ascolta il seguito della telefonata e verifica la tua risposta precedente.*

CD ▶ 07

e *Ascolta il dialogo completo e rispondi alla domanda.*

Che numero ha la donna?

____ ____ ___ ___ ___ ___ ___ ___ ____

15 La rubrica del corso

PARLARE

*Prepara la rubrica telefonica del corso. Hai tre minuti di tempo per scrivere
il maggior numero possibile di numeri di telefono dei tuoi compagni.
Poi insieme a due studenti completa la rubrica con i numeri mancanti.*

Esempio: Che numero hai/ha?

e 18

Grammatica	
	avere
(io)	ho
(tu)	hai
(lui, lei, Lei)	ha

16 Ricapitoliamo!

SCOPRIRE LA GRAMMATICA

a *Maschile o femminile?*
Ordina le parole della lista nella colonna giusta.

numero | signora | telefono
cellulare | voce | pasta

♂	♀

e 19–21

b *Lavora con un compagno. Cercate in questa lezione altri sostantivi e ordinateli come al punto **16a**.
Vince la coppia che ordina il maggior numero di parole in modo corretto.*

Vai su **www.almaedizioni.it/chiaro**
e fai le attività con le **cartine d'Italia**!
Scoprirai molte cose...

Culture a confronto

Immagini dell'Italia

*Guarda le fotografie e associale alla regione corrispondente
(puoi sceglierne più di una). Poi confrontati con un compagno.*

montagne

fiori

moda

carnevale

automobile

presepe

panettone

vulcano

Giuseppe Verdi

vino

Etruschi

La tua Italia

*Quali foto rappresentano meglio l'Italia? Scegli le tue tre fotografie preferite
e poi scrivi il loro titolo intorno al nome "Italia" qui sotto.*

Le tue fotografie

*Quali fotografie hai scelto? Quali immagini vorresti aggiungere?
Quali immagini rappresentano meglio il tuo paese?*

Grammatica e comunicazione

I pronomi soggetto: la forma singolare → 5.1

io	lui/lei
tu	Lei (forma di cortesia)

I verbi: il presente indicativo → 9.1

	chiamarsi	essere	avere
(io)	mi chiamo	sono	ho
(tu)	ti chiami	sei	hai
(lui, lei, Lei)	si chiama	è	ha

Gli articoli determinativi: la forma singolare → 3.2

il ♂	la ♀

I sostantivi: il genere → 2.1

gelato	piazza
mare ♂	stazione ♀

Gli aggettivi: le nazionalità → 4.1

italiano	italiana
francese ♂	francese ♀

La concordanza: soggetto + aggettivo (forma singolare) → 4.1

Lui è spagnolo.	Lei è spagnola.
Lui è olandese. ♂	Lei è olandese. ♀

Gli interrogativi → 12

Come ti chiami?
Di dove sei?
Che cosa significa?
Che numero di telefono hai?

Le preposizioni: *di* → 14

Di dov'è? – Sono di Verona.

I numeri cardinali: 1 - 20 → 15.1

1	uno	6	sei	11	undici	16	sedici
2	due	7	sette	12	dodici	17	diciassette
3	tre	8	otto	13	tredici	18	diciotto
4	quattro	9	nove	14	quattordici	19	diciannove
5	cinque	10	dieci	15	quindici	20	venti

salutare qualcuno

Ciao!   Buongiorno!   Buonasera!

chiedere il nome di qualcuno

Come ti chiami?   Come si chiama?

presentarsi

Ciao, io sono Paolo.
Mi chiamo Nicola Bruni.
Ciao!
Piacere!
Molto lieto./Molto lieta.

presentare altre persone

Lei è Francesca, una collega di Bellinzona.
    Francesca... Marina.

Signora Monfalco... il signor Klum, un collega di
    Vienna.

chiedere e dire la provenienza

Di dove sei?/Di dov'è?
Sono italiano/Sono italiana, di Roma.

chiedere e dare il numero di telefono

Che numero di telefono hai/ha?
338 77 66 827

fare domande durante la lezione

Che cosa significa...?	Come si dice...?
Come si scrive...?	Può ripetere, per favore?
Come, scusi?	Come si pronuncia
A che pagina?	questa parola?

'ALMA.tv ▶

Vuoi approfondire un argomento di grammatica in modo semplice e chiaro? Vai su www.alma.tv e guarda un video della *Grammatica caffè*. Imparerai molte cose...

Portfolio

Ora sei in grado di...

	😀	🙂	🙁	📖
salutare qualcuno quando arrivi e quando vai via	☐	☐	☐	3, 5
presentarti brevemente	☐	☐	☐	3
chiedere il nome a qualcuno	☐	☐	☐	3
presentare una persona ad un'altra	☐	☐	☐	7
dire da dove vieni	☐	☐	☐	7, 9
chiedere aiuto all'insegnante	☐	☐	☐	11
chiedere e dare un numero di telefono	☐	☐	☐	15

L'italiano nel tuo quotidiano

Nel tuo paese e nella vita di tutti i giorni a volte incontri parole italiane nelle pubblicità, alla radio, in televisione, eccetera (per esempio: "ciao", "espresso", "bravo").
Notare queste parole ti può aiutare a imparare l'italiano più facilmente.

Le "tue" parole della scorsa settimana: Le parole del compagno con cui hai lavorato:

_____   _____

_____   _____

Quali sensi ti aiutano di più ad imparare?

a *Chiedi a un compagno di leggere a voce alta le parole nella colonna di sinistra. Ascolta e poi leggi anche tu le parole. Quali sensi si attivano quando pronunci queste parole? L'udito, la vista, il gusto, il tatto o l'olfatto? Segna con una "X" la tua associazione sensoriale più immediata.*
Poi osserva in quale colonna si trova il maggior numero di "X": qual è il senso che utilizzi di più?

	udito	vista	gusto	tatto	olfatto
pasta					
stazione					
mercato					
mare					
opera					
albergo					
piazza					
moda					
macchina					
sole					

b *Ora sai quale senso utilizzi più degli altri: cosa puoi fare per imparare l'italiano con successo? Elabora una strategia con un compagno:*

_____

Incontri

2

In questa lezione impari a:

⊕ chiedere a qualcuno come sta e dire come stai tu

⊕ ringraziare

⊕ chiedere e dare informazioni sul lavoro e la residenza

⊕ dire quali lingue parli

⊕ dire la tua età

1 Per iniziare

a *Dove sono le persone ritratte nella fotografia?*
Che cosa dicono secondo te? Parlane con un compagno.

ASCOLTARE

CD ▶ 08

b *Ascolta i tre dialoghi.*
Quale corrisponde alla fotografia indicata al punto 1a?

c *Leggi e inserisci negli spazi "tu" o "Lei".*

▶1 ● Signora Gela, buongiorno!
    ■ Buongiorno, dottore! Come sta?
    ● Bene, grazie. E _____ ?
    ■ Eh, non c'è male.

▶2 ▶ Martina, ciao! Come stai?
    ◆ Tutto bene, grazie. E _____ ?
    ▶ Eh, così così.

CD ▶ 08

d *Adesso riascolta e verifica le tue scelte.*

▶3 ● Buongiorno, signora. Come va?
    ● Benissimo, grazie. E _____ ?
    ● Anch'io bene, grazie.

Consiglio!

Ascolta i dialoghi più volte e prova ad abituarti alla melodia della lingua. Poi ripeti i dialoghi con un compagno, ma segui il tuo ritmo: non devi parlare subito velocemente come gli italiani!

e *Rileggi i dialoghi e <u>sottolinea</u> le espressioni usate in italiano per chiedere a qualcuno come sta.*

e 1

f *Associa le espressioni usate per dire come stai alla faccina corrispondente, come nell'esempio.*

non c'è male

👥 **2** **Come va?**

Scegli un compagno e gioca contro un'altra coppia. Una coppia inventa un dialogo corrispondente a una delle fotografie. L'altra coppia deve indovinare l'immagine a cui si riferisce.

3 Le professioni

a *Associa i disegni ai nomi delle professioni.*

1 commessa
2 farmacista
3 rappresentante
4 impiegato
5 giornalista
6 insegnante
7 segretaria
8 operaio
9 medico

b *Lavora con un compagno. Inserite le professioni del punto **3a** nella colonna corrispondente della tabella.*
Attenzione: una professione esiste solo alla forma maschile e non compare nella tabella. Qual è?

♂	♀		♂	♀
segretario	_____		_____	operaia
commesso	_____		farmacista	_____
_____	impiegata		rappresentante	_____
_____	insegnante		_____	giornalista

c *Giornalista, farmacista, rappresentante, insegnante:*
alcune professioni finiscono in "-ista", altre in "-e". Quale particolarità hanno?

Inserisci la tua professione.
Fai attenzione alla desinenza del sostantivo.

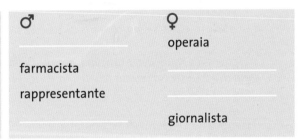

4 Che lavoro fai/fa?

Nella tua classe, chi fa i lavori indicati al punto 3? Chi fa altri lavori?
In giro per la classe, chiedi ai tuoi compagni che lavoro fanno.

Esempio: ● Che lavoro fai/fa?
　　　　　 ■ Sono insegnante. E tu?/E Lei?

Grammatica

	lavorare	fare
(io)	lavoro	faccio
(tu)	lavori	fai
(lui, lei, Lei)	lavora	fa

Lingua

Puoi chiedere il lavoro di qualcuno anche così:
Io sono insegnante, e tu/e Lei?
Ecco alcune risposte possibili:
Sono casalinga./Io non lavoro, studio.
Io non lavoro, sono pensionato/pensionata.

5 Un viaggio organizzato

CD ▶ 09

a *Ascolta e indica la situazione con una "X".*

È un dialogo   fra tre turisti. ☐   fra due turisti e l'impiegato di un'agenzia di viaggi. ☐

CD ▶ 09

b *Riascolta il dialogo e completa la scheda.*
Poi verifica i tuoi risultati con un
compagno.

Nome:		Cognome:	Ghini
Città:		Professione:	
Lingue:			

c *Leggi il dialogo e verifica i risultati del punto 5b.*

● E voi dove abitate? A Genova?
■ No, lavoriamo a Genova, ma abitiamo a Santa Margherita Ligure. E Lei, dove abita?
● Io abito e lavoro a Genova.
▶ Ah, e che lavoro fa?
● Sono rappresentante.
▶ Ah, allora viaggia molto per lavoro.
● Sì, lavoro anche in Germania, in Austria e un po' in Spagna.

■ Ah, interessante! E parla il tedesco?
● No, non parlo il tedesco, parlo un po' lo spagnolo. Ma per lavoro uso l'inglese. Ma... non ci siamo ancora presentati, sono Giada Ghini.
▶ Piacere, Alice Rossetti.
■ E io sono Luca Rossetti.

d *Scrivi sulle righe della tabella le parole della lista e completa le espressioni.*
Puoi usare la stessa parola più di una volta. Poi rileggi il dialogo e verifica le tue scelte.

Genova | lavoro | Germania

lavorare a _____	lavorare in _____	viaggiare per _____
abitare a _____	abitare in _____	

E tu? Dove abiti? Dove lavori?

e 5–6

Grammatica

abitare			
(io)	abito	(noi)	abitiamo
(tu)	abiti	(voi)	abitate
(lui, lei, Lei)	abita	(loro)	abitano

6 Chi non abita qui? Chi non lavora qui?

Cerca nella tua classe uno studente che non abita o lavora dove abiti o lavori tu.

7 Lingue e paesi

a *Leggi queste frasi tratte dal dialogo del punto **5c**.*

● E parla il tedesco?

■ No, non parlo il tedesco, parlo un po' lo spagnolo. Ma per lavoro uso l'inglese.

b *Completa la serie di parole.*

l'italiano, l'olandese, _____ /il francese, il greco, _____ /lo svedese, lo slovacco, _____

c *Associa le lingue ai paesi.*

la Germania, l'Italia, la Spagna, la Gran Bretagna, la Grecia, la Francia, l'Olanda, la Svezia, la Slovacchia

8 Ricapitoliamo!

a *Hai già incontrato tutte le forme singolari dell'articolo determinativo ("il", "lo", "la", "l' "): quando si usano?*

b *Lavora con un compagno. Cercate 10 sostantivi nella lezione 1 e 2. Poi scambiate la vostra lista con quella di un'altra coppia. Ogni coppia deve scrivere l'articolo di tutti i sostantivi della lista. Vince la coppia che trova il maggior numero di articoli corretti.*

9 Che lingue parli?

La classe si divide in due gruppi, A e B.
Ogni giocatore di ciascuna squadra sceglie una lingua che conosce.
Un giocatore della squadra A cerca di indovinare la lingua scelta da un giocatore della squadra B.

Se indovina, il suo gruppo vince un punto. Poi tocca all'altro gruppo.

Il gioco finisce quando tutti gli studenti hanno fatto una domanda.
Vince il gruppo con il maggior numero di punti.

Esempio: ● Paul, parli l'inglese?
　　　　　 ■ Sì, parlo l'inglese./No, non parlo l'inglese.

10 Annunci

Leggi gli annunci e trova il partner ideale per ogni persona.

a. Ciao, mi chiamo Christine, ho 27 anni, sono tedesca e cerco una ragazza italiana per uno scambio italiano-tedesco. Abito in una città piccola.

b. Buongiorno, sono francese e ho 56 anni. Sono ingegnere, abito a Parigi e desidero perfezionare il mio italiano perché sono di origine italiana. Alain

c. Ciao a tutti sono una ragazza italiana di 33 anni e cerco una persona madrelingua per conversare in tedesco in cambio di conversazione in italiano. Paola

d. Ciao, mi chiamo David. Ho 28 anni e sono australiano, ma abito e lavoro a Roma (Monte Sacro). Sono insegnante d'inglese e cerco una persona italiana per scambio conversazione.

e. Ciao a tutti! Ho 24 anni e studio lingue; cerco una ragazza/un ragazzo inglese o francese per fare conversazione in cambio di conversazione in italiano. Marcella

11 Imparare in due

a *Lavora con altri compagni. Dividetevi in due gruppi.*
Ogni gruppo scrive un annuncio in base a questi due profili.

A: Sei italiano e cerchi una persona con cui imparare una lingua straniera.

B: Sei francese, o spagnolo, o... e cerchi una persona che parla italiano.

b *Leggete gli annunci dell'altro gruppo e provate a trovare il partner ideale.*

> **Consiglio!**
>
> La lingua è comunicazione. Cerca di studiare in compagnia. Lavora in coppia o in gruppo in classe e cerca persone con cui imparare una lingua anche quando non sei in classe.

12 I numeri

a *Rileggi gli annunci del punto **10** e indica con un numero l'età delle persone.*

ventotto _____	cinquantasei _____
trentatré _____	ventiquattro _____
ventisette _____	

b *Completa i numeri. Poi ascolta la registrazione e verifica i tuoi risultati.*

21 ventuno	28 _____	40 quaranta	77 _____
22 _____	29 _____	44 _____	80 ottanta
23 ventitré	30 trenta	50 cinquanta	85 _____
24 _____	31 _____	56 _____	90 novanta
25 venticinque	32 trentadue	60 sessanta	96 _____
26 ventisei	33 _____	63 _____	100 cento
27 _____	38 trentotto	70 settanta	

c *Lavora con un compagno. Tu scrivi un numero "in aria" con le dita e il tuo compagno deve dire il numero ad alta voce. Poi scambiatevi i ruoli.*

13 Interviste

Ascolta le interviste. Perché queste persone studiano l'italiano?
Indica le tue risposte con una "X".

	signor Nugnes	signor Hansen	signor Gonzalez
per lavoro			
per amore			
perché amo la musica italiana			
perché ho un amico italiano/un'amica italiana			
per motivi familiari			

Quale risposta va bene anche per te? Completa la frase qui sotto.

Studio l'italiano

14 Perché studi/studia l'italiano?   PARLARE

a *Intervista i tuoi compagni. Chiedigli perché studiano l'italiano.*
Quante persone rispondono come te?

b *Riferisci i risultati della tua intervista.*

15 Ricapitoliamo!   SCOPRIRE LA GRAMMATICA

a *In questa lezione hai incontrato gli articoli*
indeterminativi "un", "uno", "una" e "un'".
Inserisci gli articoli nella tabella qui accanto.

b *Scrivi dieci sostantivi che hai imparato e chiedi a*
un compagno di trovare l'articolo indeterminativo
corretto per ogni sostantivo.

♂	♀
_____ ragazzo	_____ ragazza
_____ amico	_____ amica
_____ scambio	

16 Una nuova identità   PARLARE E SCRIVERE

Compila la scheda di destra con la tua
"nuova identità": immagina di avere
un altro nome e lavoro e di vivere in
un'altra città. Inventa anche le lingue che
conosci e che studi (e per quale motivo).
Poi intervista un compagno e completa
anche la sua scheda.

io		il mio partner	
Nome:		Nome:	
Cognome:		Cognome:	
Città:		Città:	
Professione:		Professione:	
Lingue:		Lingue:	
Motivo:		Motivo:	

e 17

e 19–21

Culture a confronto

I saluti

1   2   3   4

a *Osserva le immagini: in quali paesi le persone si salutano così?*

b *Quali tra questi modi di salutarsi sono tipici in Italia? In quali situazioni? E nel tuo paese?*

c *In giro per la classe, saluta i compagni usando i gesti e le espressioni appropriate e chiedigli come stanno.*

Numeri e fortuna

Leggi la domanda di Myron: che risposta riceverebbe nel tuo paese? E in Italia?

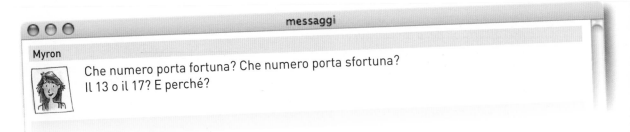

messaggi

Myron

Che numero porta fortuna? Che numero porta sfortuna?
Il 13 o il 17? E perché?

Grammatica e comunicazione

I verbi: il presente indicativo regolare → 9.1

regolari	-are
	abitare
(io)	abito
(tu)	abiti
(lui, lei, Lei)	abita
(noi)	abitiamo
(voi)	abitate
(loro)	abitano

I verbi: il presente indicativo irregolare → vedi tabella in terza di copertina

irregolari	
stare	fare
sto	faccio
stai	fai
sta	fa
stiamo	facciamo
state	fate
stanno	fanno

Gli articoli determinativi: la forma singolare → 3.2

il segretario	la segretaria
l'operaio	l'operaia
lo spagnolo ♂	la spagnola ♀

Gli articoli indeterminativi → 3.1

un commesso	una commessa
un insegnante	un'insegnante
uno spagnolo ♂	una spagnola ♀

I sostantivi: le professioni → 2.2

l'impiegato	l'impiegata
il rappresentante	la rappresentante
il farmacista ♂	la farmacista ♀

Gli interrogativi e le congiunzioni → 12/13

Dove lavori?
● Perché studi l'italiano?
■ Perché amo la musica italiana.

La negazione semplice → 10.1

● Abitate a Genova?
■ No, abitiamo a Santa Margherita Ligure.
Io non parlo il tedesco.

Le preposizioni: a, in, per → 14

Lavoro a Genova.	(luogo: città)
Abito in Spagna.	(luogo: paese)
Studio l'italiano per lavoro.	(motivo)

I numeri cardinali: 21-100 → 15.1

21	ventuno	25	venticinque	29	ventinove	50	cinquanta	90	novanta
22	ventidue	26	ventisei	30	trenta	60	sessanta	100	cento
23	ventitré	27	ventisette	38	trentotto	70	settanta		
24	ventiquattro	28	ventotto	40	quaranta	80	ottanta		

salutare in modo formale e informale

Signora Gela, buongiorno!
Buonasera, signor Rossi!
Buongiorno, dottore!
Ciao, Martina!

indicare le lingue conosciute

Che lingue parli/parla?
No, non parlo l'inglese, parlo un po' il francese.

dire la propria età

Ho 27 anni.
Sono una ragazza di 33 anni.

chiedere a qualcuno come sta e rispondere alla stessa domanda

Come stai?/Come sta?/Come va?
Benissimo./Bene./Tutto bene./Così così./
   Non c'è male.

chiedere a qualcuno perché studia italiano e rispondere alla stessa domanda

Perché studi/studia l'italiano?
Studio l'italiano per lavoro.
Perché ho un'amica italiana/un amico italiano.

chiedere la professione di qualcuno e dire la propria

Che lavoro fai?/Che lavoro fa?
Sono impiegata/impiegato.

chiedere e dire la residenza

Dove abiti?/Dove abita?
Abito a... (città)/Abito in... (paese)

Portfolio

chiedere a qualcuno come sta
   e rispondere alla stessa domanda   ☺   ☺   ☹   📘

	😄	🙂	🙁	📘
chiedere a qualcuno come sta e rispondere alla stessa domanda	☐	☐	☐	1
dire che lavoro fai	☐	☐	☐	3, 4
dire dove abiti	☐	☐	☐	5, 6
indicare le lingue che conosci	☐	☐	☐	7, 9
dire quanti anni hai	☐	☐	☐	10
spiegare perché studi l'italiano	☐	☐	☐	13

I tuoi obiettivi

Frequenti regolarmente il corso di italiano, ma quali sono i tuoi obiettivi reali?
Pensa a situazioni concrete in cui vorresti usare le tue conoscenze in italiano, poi scrivile qui sotto.

fare telefonate in ufficio
scrivere e-mail ad amici/a parenti

Qual è il tuo programma di studio?

☐ Riesci a studiare regolarmente a casa.

☐ Non hai quasi tempo per studiare a casa.

☐ Vorresti fare progressi rapidi.

☐ Vorresti procedere con calma.

☐ Vorresti raggiungere i tuoi obiettivi entro _____ .

'ALMA.tv

Per imparare l'italiano
con successo puoi leggere
una storia a fumetti! Vai su
www.alma.tv nella rubrica
L'italiano con i fumetti
e guarda il video di un
episodio di "Roma 2050 d.C.".
Alla fine puoi fare anche
gli esercizi on line per
verificare la comprensione.
Cosa aspetti?

Come imparare con successo?

a *Come puoi imparare con successo, anche se hai poco tempo?*

b *Oltre a frequentare un corso di lingua, cosa puoi fare per raggiungere i tuoi obiettivi?*
Elabora una strategia insieme a un compagno:

_____

_____

_____

Un caffè, per favore!

3

In questa lezione impari a:

- chiedere a qualcuno cosa vuole bere/mangiare

- ordinare al bar

- chiedere il conto

- leggere una lista semplice delle bevande

- chiedere a qualcuno come e cosa preferisce mangiare e rispondere alla stessa domanda

1 Per iniziare

Osserva la fotografia. Che cosa associ alla parola "bar"?
Parlane con alcuni compagni.

2 Bevande e spuntini

a *Quali di questi spuntini e bevande conosci?*

caffè	cappuccino	cornetto	panino	tè	piadina
toast	spremuta d'arancia	aranciata	vino	birra
aperitivo	amaro	acqua minerale	tramezzino	latte

b *Inserisci tutte le parole del punto **2a** nella tabella qui sotto.*

caffetteria	bevande	alcolici	snack e pasticceria

e 1

3 Al bar

CD▶ 12

a *Ascolta il dialogo e associalo a una delle due immagini.*

a

b

b *Completa il dialogo inserendo le frasi dei clienti al posto giusto.*

E per me un caffè... macchiato. | Ecco a Lei. | Caldo.
Tu che cosa prendi? Oggi offro io! | Vorrei pagare subito. Quant'è? | Buongiorno.

◼ Buongiorno.

◉▶ _____

◼ Prego!

◉ Ehm... _____

▶ Oh, grazie! Ehm... un cappuccino e un cornetto, per favore.

◉ _____

▶ La prossima volta, però...

◉ La prossima volta offri tu, va bene.

◼ Il macchiato, caldo o freddo?

◉ _____

◼ Allora, ecco il cappuccino con il cornetto... e questo è il macchiato.

◉ _____

◼ 3 euro.

◉ _____

◼ Grazie. Ecco lo scontrino.

```
BAR CAFFETTERIA TAVOLA CALDA
     PIZZERIA CASELLO 22
         GARR S.R.L.
V.APPIA KM 166 SESSA AURUNCA(CE)
      P.IVA 03368500611

                              EURO
Cappuccino                    1,20
Caffè                         0,80
Cornetto                      1,00

Postazione 1

TOTALE EURO                   3,00
Contanti                      3,00
Resto                         0,00
16/08/08 09:04        SF. 0034
      MF KU 96015244
```

CD ▶ 12

c *Riascolta e verifica le tue scelte.*

Lingua
€ 3,00 = tre euro
€ 2,95 = due euro e novantacinque
€ 0,80 = ottanta centesimi

3

LEGGERE E ANALIZZARE

d *Rileggi il dialogo del punto 3b e trova le espressioni corrispondenti alle situazioni indicate.*

chiedere a qualcuno cosa vuole bere/mangiare _____

offrire qualcosa a qualcuno _____

ordinare qualcosa _____

dare qualcosa a qualcuno _____

esprimere un desiderio _____

e 2–5 pagare _____

4 **Un invito al bar**

PARLARE

Oggi sei generoso: chiedi ad alcuni compagni se puoi offrirgli qualcosa. Poi loro lo chiedono a te.

Grammatica

	prendere	**offrire**
(io)	prendo	offro
(tu)	prendi	offri
(lui, lei, Lei)	prende	offre

5 Il macchiato, caldo o freddo?

La piadina, calda o fredda?

Il caffè, decaffeinato o

La birra, grande o piccola?

a *Leggi le domande del barista e osserva la combinazione sostantivo + aggettivo (come "piadina calda"). Fai attenzione alla desinenza delle parole: che cosa noti?*

b *Lavora con un compagno.*
Cibi e bevande non possono essere soltanto "caldi" o "freddi". Formate coppie di contrari con gli aggettivi della lista.

| alcolico | amaro | analcolico | frizzante | dolce | naturale |

c *Sempre in coppia, associate gli aggettivi del punto **5a** e **5b** ai cibi e alle bevande della lista. Potete usare lo stesso aggettivo per diversi sostantivi. Fate attenzione alla desinenza degli aggettivi. Vince la coppia che trova il maggior numero di associazioni corrette.*

| il latte | il tè | l'acqua | la birra | l'aranciata | la pizzetta |
| l'aperitivo | il panino | la cioccolata | il caffè |

e 6–7

6 Ordinare al bar

Lavora con due compagni. Create un dialogo in base alle informazioni seguenti.

A e **B**: siete in un bar. Ordinate qualcosa da bere e da mangiare al banco. Quando il barista vi serve, chiedete il conto.

C: sei un barista. Prendi le ordinazioni, servi i clienti e fai il conto. Ricordati di dare lo scontrino ai clienti!

7 **In un locale**

a *Dove sono queste persone?*
Ascolta il dialogo e segna il luogo con una "X". Sono possibili diverse risposte.

In un bar. ☐   In un caffè letterario. ☐   In un piano bar. ☐

In una gelateria. ☐   In un'enoteca. ☐   In una birreria. ☐

b *Riascolta il dialogo e completa la frase.*

È un locale dove è possibile anche...

leggere il giornale. ☐   leggere un libro. ☐

partecipare alla presentazione di un libro. ☐   fare un massaggio. ☐

comprare le tazze del cappuccino. ☐   ascoltare musica dal vivo. ☐

8 **Alla cassa**

a *Ordina le battute del dialogo.*

▪ Buongiorno. Mi dica. ☐

▪ Allora sono 17 euro e 80. ☐

● Buongiorno. Allora: due caffè, due spremute d'arancia, due tramezzini, una birra piccola, un toast e due coni. ☐

● Ah... Grazie! ☐

● Mm... Con la panna. ☐

● Ecco a Lei. ☐

▪ Grazie. Eh, scusi... Lo scontrino! ☐

▪ I coni con o senza panna? ☐

Lingua

con la panna	senza panna

b *Ascolta il dialogo e verifica le tue scelte.*

c *Lavora con un compagno. Completate la tabella.*
Come si forma il plurale dei sostantivi?

un tramezzino	due _____		una spremuta	due _____
un liquore	due _____		una colazione	due colazioni
un caffè	due _____			
un toast	due toast	♂		♀

e 8–10

d *La classe si divide in gruppi. Ogni gruppo ordina una serie di cibi o bevande, come nell'esempio. Se il gruppo fa un errore, ripete l'ordinazione dall'inizio. Potete usare il menù qui sotto. Vince il gruppo che formula l'ordinazione più lunga senza errori.*

A: Allora, un caffè.   **B:** Due caffè e una spremuta.   **C:** Due caffè, due spremute e un cornetto...

LISTINO PREZZI

CAFFETTERIA		BIBITE		LIQUORI	
CAFFÈ		ACQUA MINERALE	€ 0,60	LIQUORI NAZIONALI	€ 3,50
ESPRESSO	€ 0,85	BIBITE	€ 3,50	LIQUORI ESTERI	€ 4,50
CORRETTO	€ 1,60	SUCCHI DI FRUTTA	€ 2,00		
DECAFFEINATO	€ 1,00	SPREMUTE	€ 2,50		
CAPPUCCINO	€ 1,20			SNACK E PASTICCERIA	
CIOCCOLATA	€ 1,70				
TÈ E TISANE	€ 1,60	APERITIVI / VINO / BIRRE		PASTE	€ 0,90
LATTE	€ 1,00			TOAST	€ 2,50
LATTE MACCHIATO	€ 1,30	APERITIVI		PANINI	€ 2,50
		ALCOLICI	€ 2,50	TRAMEZZINI	€ 1,80
		ANALCOLICI	€ 2,00	TARTINE	€ 1,50
		VINO BICCHIERE	€ 0,90	PIZZETTE E FOCACCE	€ 2,50
		SPUMANTE COPPA	€ 4,00		
		BIRRA PICCOLA	€ 2,00		
		BIRRA MEDIA	€ 4,00		
		AMARI	€ 2,50		

9   **A colazione**

a *Cerca nel disegno gli alimenti che corrispondono alle parole della lista.*

biscotti
fette biscottate
marmellata
miele
burro
cereali
cornetto
uova
pancetta
pane

b *Stamattina ti vengono a trovare alcuni amici italiani. Che cosa prepari per colazione?*
Immagina un menù e poi confrontalo con quello di un compagno.

LEGGERE

c *Leggi questo testo e poi confrontalo con il tuo menù.*
Secondo te bisogna eliminare o aggiungere qualcosa?

La prima colazione è anche specchio della cultura di un paese.
La colazione "mediterranea" ingloba gli usi alimentari di paesi come
l'Italia, la Francia, la Spagna e la Grecia. La tipica colazione all'italiana,
se consumata in casa, si basa su latte, caffè (anche insieme, nel
classico caffelatte) o tè, biscotti o fette biscottate, marmellata o miele,
e burro. Alcuni – specialmente fra i giovani o tra le ragazze – preferiscono lo yogurt con i cereali e una spremuta d'arancia oppure succhi
di frutta. Ma sono tanti gli italiani che fanno colazione al bar: in
questo caso l'abbinamento classico è un cappuccino (o caffè espresso)
con un cornetto (o una brioche di altro tipo). E non pochi, infine, la
mattina non mangiano niente: prendono solo un caffè o non fanno
colazione. *(adattato da www.informacibo.it)*

> **Consiglio!**
>
> Quando leggi un testo, non devi necessaria-mente capire ogni singola parola. Concentrati sulle parole che ti sembrano impor-tanti o interessanti.

10 **L'italiano, gli italiani...**

SCOPRIRE LA GRAMMATICA

a *Inserisci gli articoli determinativi.*

il giovane	_____ giovani
l'uso	_____ usi
_____ yogurt	_gli_ yogurt

la ragazza	_____ ragazze
l'aranciata	_le_ aranciate

GIOCO

b *Chiudi il libro e scrivi su un foglio il maggior numero possibile di bevande e cibi,*
al singolare o al plurale. Hai tre minuti di tempo. Poi confronta la tua lista
con quella di un compagno. Qual è più lunga? Insieme aggiungete gli articoli ai sostantivi.
Vince la coppia che ha il maggior numero di combinazioni corrette.

e 11–15

11 **Abitudini**

SCRIVERE E PARLARE

a *Scrivi cosa mangi e bevi tu a colazione.*

b *Cosa mangiano e bevono a colazione i tuoi compagni?*
Prepara alcune domande per scoprirlo.

c *Intervista i tuoi compagni.*
Chi fa colazione "all'italiana"?

> **Grammatica**
>
> (Io) **non** faccio colazione/ **non** mangio **niente**.

> **Grammatica**
>
> | | **preferire** | **bere** |
> |---|---|---|
> | (io) | prefer**isc**o | bevo |
> | (tu) | prefer**isc**i | bevi |
> | (lui, lei, Lei) | prefer**isc**e | beve |
> | (noi) | preferiamo | beviamo |
> | (voi) | preferite | bevete |
> | (loro) | prefer**isc**ono | bevono |

e 16–20

Culture a confronto

Un rito italiano

a *Leggi il testo e scrivi sotto ogni fotografia il nome della bevanda corrispondente.*

Venite a prendere il caffè da me

Lungo, ristretto, corretto, shakerato, freddo, moka classico, alla napoletana, americano, espresso, macchiato freddo, macchiato caldo... Prendere il caffè è un rito, ma il caffè è anche un momento di incontro, incontro intorno a una tazzina.

(adattato da *www.cucina.blogautore.espresso.repubblica.it*)

_____ _____ _____ _____ _____

b *Esiste nel tuo paese una bevanda associata a un rito e a un momento d'incontro come il caffè in Italia? Si beve solo al bar o anche a casa?*

Grammatica e comunicazione

I verbi: il presente indicativo → 9.1.1/9.1.2/vedi tabella in terza di copertina

regolari	-ere		-ire		irregolari
	prendere	offrire	preferire		bere
(io)	prendo	offro	preferisco		bevo
(tu)	prendi	offri	preferisci		bevi
(lui, lei, Lei)	prende	offre	preferisce		beve
(noi)	prendiamo	offriamo	preferiamo		beviamo
(voi)	prendete	offrite	preferite		bevete
(loro)	prendono	offrono	preferiscono		bevono

La concordanza: sostantivo + aggettivo (forma singolare) → 4.1

Il caffè, decaffeinato o normale? ♂	La birra, piccola o grande? ♀

I sostantivi: la formazione del plurale → 2.3/2.4

un tramezzino	→	due tramezzini	una bibita	→	due bibite
un liquore	→	due liquori	una colazione	→	due colazioni
un succo	→	due succhi			
un analcolico	→	due analcolici			
un caffè	→	due caffè			
un toast	→	due toast ♂			♀

Gli articoli determinativi: la forma plurale → 3.2

i biscotti	le fette
gli aperitivi	le aranciate
gli yogurt ♂	♀

La doppia negazione: *non... niente* → 10.2

Non faccio colazione.
A colazione non mangio niente.

Le preposizioni: *con, senza* → 14

I coni con o senza panna?
Con la panna, per favore.

ordinare in un bar

Un cappuccino e un cornetto, per favore.
Per me un caffè.
Vorrei una cioccolata calda.

chiedere il conto e pagare

- Vorrei pagare (subito). Quant'è?
- 3 euro.
- Ecco a Lei.

chiedere a qualcuno cosa prende da bere/mangiare e offrirgli qualcosa

Tu che cosa prendi? Offro io!

formulare alternative

Il macchiato, caldo o freddo?
L'acqua, frizzante o naturale?
Fai colazione a casa o al bar?

parlare delle abitudini alimentari proprie o altrui relative alla colazione

Che cosa mangi a colazione?
Mangio fette biscottate con burro e marmellata.
Io preferisco lo yogurt con i cereali.
Io bevo solo un caffè, ma non mangio niente.

Portfolio

Ora sei in grado di...

	😄	🙂	🙁	📖
ordinare da bere in un bar	☐	☐	☐	3
chiedere a qualcuno cosa vuole bere/mangiare	☐	☐	☐	3
esprimere un desiderio in modo semplice	☐	☐	☐	3
chiedere il conto al bar	☐	☐	☐	3
leggere una lista semplice delle bevande	☐	☐	☐	8
chiedere a qualcuno le sue preferenze e indicare le tue	☐	☐	☐	11

Cosa ti fa assimilare meglio le informazioni e le regole grammaticali?

a *Nella lezione 1 hai scoperto con quale senso percepisci le parole. Ora pensa a come recepisci le informazioni e le regole di grammatica: impari di più usando gli occhi, l'udito o il movimento? Rifletti sulle tue esperienze quotidiane e sulle attività che svolgi in classe e indica le tue risposte con una "X".*

Assimili le informazioni/i contenuti della lezione...	no	abbastanza	sì
1 quando ascolti la radio, un CD, ecc.	☐	☐	☐
2 quando leggi un testo	☐	☐	☐
3 quando prendi appunti	☐	☐	☐
4 quando osservi delle immagini (foto, ecc.)	☐	☐	☐
5 quando ti muovi fisicamente	☐	☐	☐
6 quando ascolti una spiegazione orale	☐	☐	☐
7 quando fai esercizi scritti	☐	☐	☐
8 quando osservi pagine colorate	☐	☐	☐
9 quando leggi o ripeti a voce alta	☐	☐	☐

b *In quale categoria hai più punti? Calcola il tuo punteggio.*

no = 0 punti   abbastanza = 1 punto   sì = 2 punti

a) ascoltare   b) vedere   c) fare

N. 1 _____ punti		N. 2 _____ punti		N. 3 _____ punti	
N. 6 _____ punti		N. 4 _____ punti		N. 5 _____ punti	
N. 9 _____ punti		N. 8 _____ punti		N. 7 _____ punti	
Totale _____ punti		Totale _____ punti		Totale _____ punti	

c *La maggior parte delle persone appartengono a una categoria "mista", cioè apprendono utilizzando tutti i sensi. Puoi migliorare i tuoi risultati seguendo un metodo adatto al tuo stile personale di apprendimento. Cerca tra i compagni quelli che hanno il tuo stile di apprendimento ed elabora una lista di consigli insieme a loro.*

'ALMA.tv ▶

Vai su www.alma.tv e scopri tanti video, film, esercizi, test, giochi per esercitarti e conoscere la cultura italiana.

Tutti i santi giorni

4

In questa lezione impari a:

- chiedere e dire l'ora

- parlare della vita quotidiana

- indicare le parti della giornata

- parlare di attività svolte nel fine settimana

- scrivere un breve testo sulle tue attività del fine settimana

- indicare i giorni della settimana

1 **Per iniziare**

Come cominci la giornata? Fai la stessa domanda a un compagno.

Comincio la giornata con la radio.

Comincio la giornata con una doccia.

2 Che ore sono?

a *Ascolta il segnale orario: che ore sono?*

Sono le _____ .

b *Associa ogni orario a un orologio, poi ascolta e verifica le tue scelte.*

| Sono le dieci e un quarto. | È mezzogiorno./È mezzanotte. | Sono le dieci e venticinque. |
| Sono le dieci e tre quarti. | Sono le dieci e mezzo/mezza. | È l'una. | Sono le dieci meno venti. |

_____ _____ _____ _____

_____ _____ _____

Sono le undici meno un quarto.

c *E adesso che ore sono?*

Adesso

e 1–2

> **Lingua**
>
> | 16.15 | sedici e quindici | quattro e un quarto |
> | 16.30 | sedici e trenta | quattro e mezzo/-a |

3 Le ore del mondo

*Gioca insieme a un compagno contro un'altra coppia. Guardate lo schema e l'esempio.
La coppia A dice che ora è in un paese e chiede alla coppia B che ora è in un altro paese nello stesso momento. La coppia B risponde e poi dice che ora è in un altro paese, ecc.*

Esempio:

● In Italia sono le 9 e un quarto. Che ore sono in Gran Bretagna?
■ Sono le 8 e un quarto.

paese	fuso orario	paese	fuso orario
Argentina	- 3 ore	Grecia	+ 2 ore
Canada (Toronto)	- 5 ore	Gran Bretagna	GMT
Finlandia	+ 2 ore	Italia	+ 1 ora
Giappone	+ 9 ore	Russia (Mosca)	+ 3 ore

4 La giornata di Lucia

a *Associa le frasi alle immagini.*

La mattina
1 Porta a scuola i bambini.
2 Di solito si sveglia alle 6.30.
3 Comincia a lavorare alle 8.30.

All'ora di pranzo
1 Legge il giornale.
2 All'una fa una pausa.
3 Mangia qualcosa in un bar.

Il pomeriggio
1 Torna in ufficio alle 14.00.
2 Gioca con i bambini.
3 Finisce di lavorare alle 17.00.

La sera
1 Va a dormire verso mezzanotte.
2 Prepara la cena.
3 Guarda la TV.

e 3–8

b *E tu, che cosa fai di solito?*
Scrivi una frase per ogni momento della giornata.

la mattina _____
all'ora di pranzo _____
il pomeriggio _____
la sera _____

Lingua
Sono **le** 7.30./Mi alzo **alle** 7.30.

Grammatica

	svegliarsi	andare
(io)	**mi** sveglio	vado
(tu)	**ti** svegli	vai
(lui, lei, Lei)	**si** sveglia	va
(noi)	**ci** svegliamo	andiamo
(voi)	**vi** svegliate	andate
(loro)	**si** svegliano	vanno

5 A che ora?

Intervista un compagno e chiedigli che cosa fa di solito durante il giorno.
Ha le tue stesse abitudini? Fai almeno una domanda per ogni parte della giornata.

6 Vita quotidiana

a *Lavora con un compagno. In quale professione lavori dal lunedì al venerdì?*
In quale professione lavori anche il fine settimana? Fate due liste di professioni.

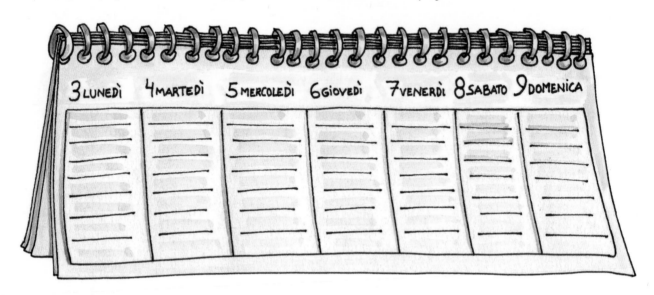

b *Che lavoro fa Pietro? Ascolta la registrazione e poi parlane con un compagno.*

c *Riascolta il dialogo del punto 6b e segna con una "X" la risposta esatta/le risposte esatte.*

Pietro...

	sì	no
lavora anche il sabato o la domenica.	☐	☐
va in ufficio molto presto la mattina.	☐	☐
lavora sempre dalle 10 alle 21.	☐	☐
a volte lavora anche di notte.	☐	☐
ha un giorno libero.	☐	☐

DI GIORNO

DI NOTTE

d *Hai indovinato che lavoro fa Pietro?*
Ascolta il resto del dialogo e verifica le tue risposte.

e 9

7 Chi... ?

Chi dei tuoi compagni ha queste abitudini? Scoprilo e scrivi il suo/loro nome.

Esempio:
Tu lavori di notte?/Lei lavora di notte?

Chi lavora...	nome
anche di notte?	
a casa?	
in un ufficio?	
da solo?	
anche il sabato?	
dal lunedì al giovedì?	

8 Che cosa ti piace fare?

a *Associa le espressioni alle fotografie.*

- ☐ fare una passeggiata
- ☐ uscire con gli amici
- ☐ andare a cena fuori
- ☐ andare al cinema
- ☐ ballare
- ☐ andare a una festa
- ☐ andare a un concerto

b *Ogni studente scrive su un foglietto che cosa gli piace o non gli piace. Usate le espressioni del punto **8a**. L'insegnante prende tutti i foglietti e li ridistribuisce tra gli studenti. Fai domande per scoprire chi ha scritto il foglietto che hai in mano.*

> Mi piace molto...
> Non mi piace molto...
> Non mi piace per niente...
> Chi sono?

Esempio:
Le/Ti piace ballare? –
Sì, molto./No, non molto./No, per niente.
...
Secondo me è Paul perché non gli piace
per niente ballare.

e 10

> **Grammatica**
> **mi** piace – **ti** piace – **Le** piace – **gli/le** piace

---

9 Il fine settimana

LEGGERE

a *Leggi i post di questo forum su Internet.*
Quali persone metteresti insieme per una serata? Perché?

---

messaggi

Franzi   Inviato: Ven Set 21, 2008 8:12 pm

Stasera??? Resto a casa e leggo un libro... D'inverno non mi piace tanto uscire la sera...
D'estate invece non sto mai a casa!!! Mi piace molto andare a cena fuori, mi diverto e
mi rilasso e soprattutto non torno a casa tardi...

Davide   Inviato: Lun Set 17, 2008 4:46 pm

Mmmmm... cosa faccio nel weekend... Allora... il venerdì sera io di solito vado in
discoteca... Il sabato prendo un aperitivo e poi vado al cinema, al bowling o a una festa.
La domenica sera invece serata house... oppure relax!!! Ah sì... naturalmente...
studio anche, e qualche volta lavoro!!!!!

Molly   Inviato: Ven Set 14, 2008 7:38 pm

Carino il nuovo topic!!
Comunque io esco con gli amici. Di solito passiamo il sabato in pub e locali vari!!
Altre volte andiamo a ballare! A me piace tantissimo: ballo, mi diverto e torno a casa
la domenica mattina dopo la colazione!!
Quando ho esami faccio cose tranquille: vado al cinema o passo la serata a casa di
amici! Mi piace molto anche fare una passeggiata dopo cena.

Ale   Inviato: Dom Set 16, 2008 8:41 am

Dunque io il venerdì e il sabato sera sono sempre dal mio ragazzo, qualche volta
usciamo, da soli o con gli amici, andiamo in un pub, ma spesso stiamo a casa a guardare
un film, oppure solo a parlare per ore e ore...

---

b *"Sempre", "di solito", "spesso", "qualche volta" o "mai"?*

*Nei post del forum al punto **9a** evidenzia le frasi che
contengono queste espressioni. Dove si trovano?
Prima del verbo, dopo il verbo o sia prima che dopo il verbo?
Noti qualcosa di particolare quando c'è la parola "mai"?
Discutine con un compagno.*

> **Grammatica**
>
> Vado **sempre** al cinema.
> **Non** vado **mai** al cinema.

PARLARE

c *Chiedi a un compagno in modo formale o informale che cosa fa nel fine settimana.
Utilizza le espressioni del punto **9b**.*

Esempio:
◆ *Di solito vai/va a ballare?*
▶ *No, non vado mai a ballare. Vado spesso al cinema.*

e 11–14

> **Grammatica**
>
> | | | **uscire** | | |
> |---|---|---|---|---|
> | (io) | esco | (noi) | usciamo | |
> | (tu) | esci | (voi) | uscite | |
> | (lui, lei, Lei) | esce | (loro) | escono | |

10 **Abbinamenti di parole**

LAVORARE CON IL LESSICO

a *Associa i verbi ai sostantivi.
Poi rileggi i post del punto **9a** e verifica le tue scelte.*

_____ un libro   _____ la serata

_____ un film   _____ una passeggiata

_____ a casa   _____ con gli amici

> uscire | passare | leggere
> fare | guardare | restare

b *Cerca nei post del punto **9a** le espressioni con il verbo "andare" e completa lo schema.*

al cinema

(in) —— ANDARE —— (a)

e 15

11 **Il forum della classe**

SCRIVERE, LEGGERE, PARLARE

a *Partecipa anche tu al forum e racconta come passi il fine settimana.*

b *Leggi i post dei tuoi compagni e cerca una persona con cui passare il sabato sera.*

c *Lavora in gruppo. Spiega ai compagni con chi vuoi uscire questo sabato e perché.*

e 16–18

Culture a confronto

Indovina chi viene a pranzo...

a *Guarda la fotografia. Dove sono queste persone?*
Che cosa fanno? Che giorno è secondo te?

b *Che tipo di iniziativa è "Indovina chi viene a pranzo"?*
Che cosa succede? Leggi il testo e scoprilo.

Giavera (TV)

Ritmi e danze dal mondo
Una festa interculturale | Edizione 2008

Indovina chi viene a pranzo...

Una domenica per pranzare insieme, a casa propria o a casa di altri, per incontrarsi, condividere sapori e raccontarsi storie di vita tra famiglie italiane e migranti.
L'edizione 2008 di "Ritmi e danze dal mondo" si conclude a tavola.
Famiglie italiane e straniere si scambiano un invito a pranzo a casa: davanti a un piatto di spaghetti al sugo o a un cuscus, si conoscono e si raccontano esperienze ed emozioni della festa multietnica di Giavera del Montello, ma si raccontano anche storie di vita.
Da sempre, nella nostra tradizione, il pranzo della domenica è il momento in cui tutta la famiglia si riunisce attorno ad un tavolo, un'occasione per parlare e scherzare in tranquillità. Per questo, «Ritmi e danze dal mondo» ha scelto la domenica come momento di incontro tra le famiglie di diversa nazionalità che abitano nella nostra zona.

(adattato da *www.ritmiedanzedalmondo.it*)

c *In quale giorno della settimana si incontrano le famiglie italiane, di solito?*
Che cosa fanno? E nel tuo paese? E la tua famiglia?

Grammatica e comunicazione

I verbi riflessivi (presente indicativo) → 9.2

	alzarsi		
(io)	mi alzo	(noi)	ci alziamo
(tu)	ti alzi	(voi)	vi alzate
(lui, lei, Lei)	si alza	(loro)	si alzano

piacere → 9.1.5

mi		
ti		
gli	piace + infinito	
le		
Le		

Mi piace uscire con gli amici.
Non ti piace ballare?

I verbi: il presente indicativo irregolare → vedi tabella in terza di copertina

	giocare	andare	uscire
(io)	gioco	vado	esco
(tu)	giochi	vai	esci
(lui, lei, Lei)	gioca	va	esce
(noi)	giochiamo	andiamo	usciamo
(voi)	giocate	andate	uscite
(loro)	giocano	vanno	escono

La negazione → 10

Non mi alzo presto la mattina.
Non vado mai in discoteca.

Le preposizioni articolate: a, da → 14

+	il	lo	l'	la	i	gli	le
a	al	allo	all'	alla	ai	agli	alle
da	dal	dallo	dall'	dalla	dai	dagli	dalle

Le preposizioni: a, da, in → 14

Espressioni di tempo
Mi sveglio alle sei.
Lavoro sempre dalle nove alle cinque/
   dal martedì al giovedì.

Espressioni di luogo
Vado a lavorare/a dormire/a ballare.
Vado al cinema/a una festa/a un concerto.
Vado in ufficio/in un pub/in discoteca.
Resto/Vado a casa.

chiedere e dire l'ora
Che ore sono?
(Sono) le dieci e un quarto.
(È) l'una./(È) mezzogiorno./(È) mezzanotte.

indicare a che ora avviene un'azione
A che ora vai in ufficio?
Alle otto e mezzo vado in ufficio.
Lucia va a dormire verso mezzanotte.

raccontare attività quotidiane
Come cominci la giornata?
Come passi la giornata/la serata?
Di solito mi sveglio alle sette e...

indicare la frequenza di un'attività
Il fine settimana vai al cinema?
Sì, sempre/spesso/qualche volta.
No, mai.

parlare del fine settimana
Che cosa fai/fa il fine settimana?
Vado a cena fuori./Mi diverto./Mi rilasso...

indicare le proprie preferenze
Che cosa ti/Le piace fare?
Mi piace (molto) uscire con gli amici.
Non mi piace (per niente) ballare.

indicare i giorni della settimana e le parti della giornata
Pietro lavora anche il sabato e la domenica.
Lavori/Lavora di giorno o di notte?
La mattina.../All'ora di pranzo.../Il pomeriggio.../La sera...

Portfolio

Ora sei in grado di...

	☺	☺	☹	📖
dire e chiedere l'ora	☐	☐	☐	2, 3
descrivere la tua giornata	☐	☐	☐	4
indicare i giorni della settimana	☐	☐	☐	6
dire che cosa ti piace fare	☐	☐	☐	8
indicare la frequenza delle tue azioni	☐	☐	☐	9
dire come passi il fine settimana	☐	☐	☐	11

Imparare il lessico

a *In questa lezione hai incontrato molte parole nuove ed espressioni utili per descrivere la vita quotidiana.*
Come puoi ordinare queste parole ed espressioni per impararle in modo sistematico?
Prova a ordinarle per momenti della giornata e completa lo schema qui sotto.

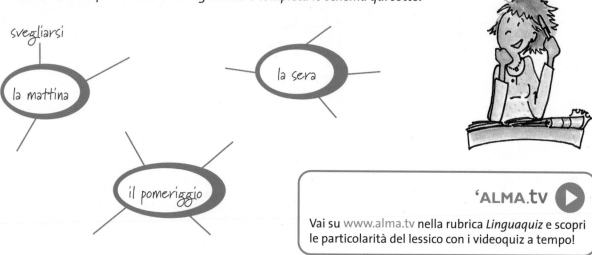

'ALMA.tv ▶

Vai su www.alma.tv nella rubrica *Linguaquiz* e scopri
le particolarità del lessico con i videoquiz a tempo!

In alternativa, puoi associarle a una parola specifica. Prova a completare questo secondo schema.

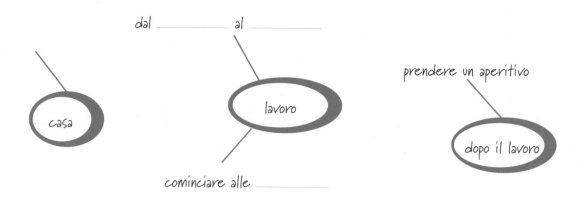

b *In quale altro modo è possibile ordinare le parole? Elabora una strategia con un compagno:*

_____

_____

_____

Ancora più chiaro 1

Un nuovo locale italiano

1 *Vuoi aprire un locale italiano (bar, caffè letterario, piano bar, ecc.). Lavora in gruppo con 3 o 4 compagni.*

2 *Fai un'indagine di mercato per scoprire le abitudini dei possibili clienti. Insieme ai tuoi compagni prepara le domande da fare ad altri studenti su questi temi: professione, tempo libero, gusti personali e orari.*

3 *Intervista quattro compagni di altri gruppi e scrivi le loro risposte.*

nome	professione	tempo libero	gusti personali	orari

4 *Torna a lavorare con il tuo gruppo, rielabora i risultati e insieme decidete che tipo di locale volete aprire.*

Scegliete un nome e un logo per il vostro locale.
Create un menù.
Decidete gli orari di apertura.
Decidete se organizzare eventi speciali.
Utilizzate lo schema a pagina 54.

5 *Presentate il vostro locale alla classe.*

6 *La classe sceglie il suo locale italiano preferito.*

Gioco

Si gioca in gruppi di 3 o 4 persone. Serve un dado per ogni gruppo e una pedina per ogni giocatore.

A turno i giocatori lanciano il dado e avanzano del numero di caselle indicate dal dado.

Se nella casella c'è una domanda, il giocatore A la completa e il giocatore B (alla sua sinistra) risponde. Se la domanda è corretta, il giocatore A può restare dov'è; se è scorretta, torna alla casella di partenza.

Se il giocatore B risponde correttamente, può rilanciare il dado. Se risponde in modo scorretto, tocca al giocatore successivo.

Se nella casella c'è un esercizio da svolgere, il giocatore deve completarlo; se c'è un'immagine, deve creare una frase appropriata: se non fa errori, può restare dov'è, altrimenti torna alla casella di partenza e il giocatore successivo lancia il dado.

Vince chi raggiunge per primo la casella "ARRIVO".

19
Che ...... prendi?

18
Dove abit...... ?

20
Vorrei pagare subito. ...... ?

33
TORNI ALLA CASELLA 24 E STAI FERMO UN GIRO

21
...... francese?

34
lunedì
....
giovedì
....
......

22
13 ......
...... 16
....
...... 20

PARTENZA

1
Io sono Mario, e ...... ?

23
Preferisci il gelato ...... o ...... panna?

24
calda ≠ ......
dolce ≠ ......
frizzante ≠ ......

25
...... spesso la domenica pomeriggio?

2
E Lei, ... si chiama?

3
Di ...... sei?

4
Che ...... di telefono hai?

5

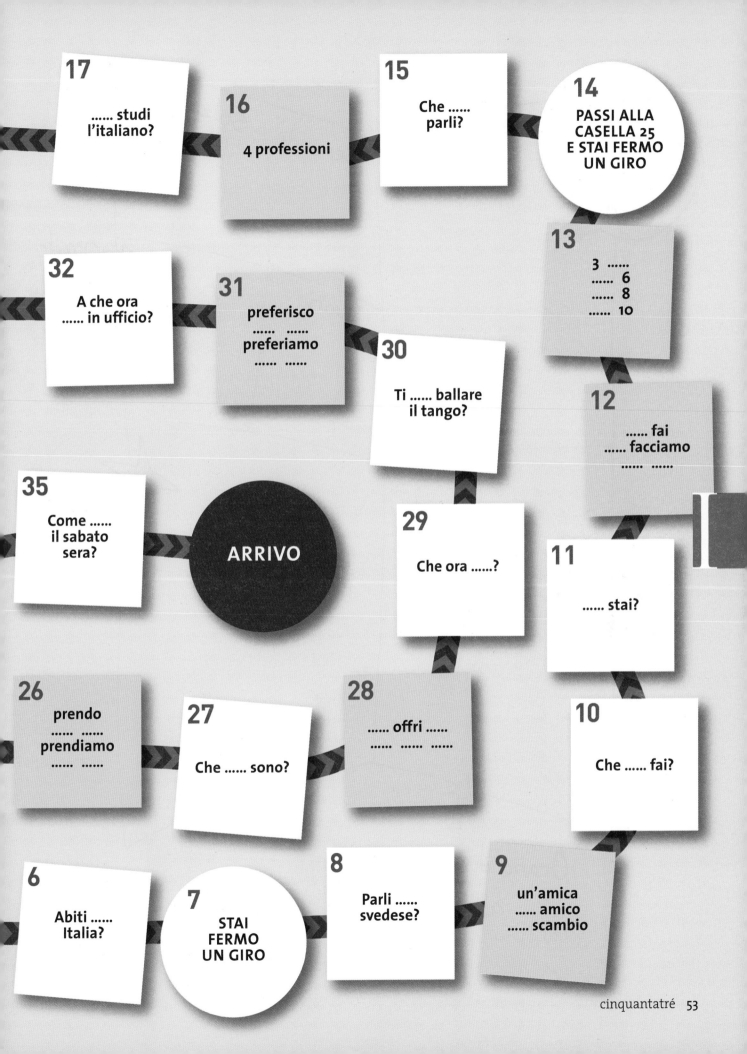

17 ...... studi l'italiano?

16 4 professioni

15 Che ...... parli?

14 PASSI ALLA CASELLA 25 E STAI FERMO UN GIRO

13
3 ......
...... 6
...... 8
...... 10

32 A che ora ...... in ufficio?

31 preferisco .... preferiamo ....

30 Ti ...... ballare il tango?

12 ...... fai ...... facciamo ....

35 Come ...... il sabato sera?

ARRIVO

29 Che ora ......?

11 ...... stai?

26 prendo .... prendiamo ....

27 Che ...... sono?

28 ...... offri ....

10 Che ...... fai?

6 Abiti ...... Italia?

7 STAI FERMO UN GIRO

8 Parli ...... svedese?

9 un'amica ...... amico ...... scambio

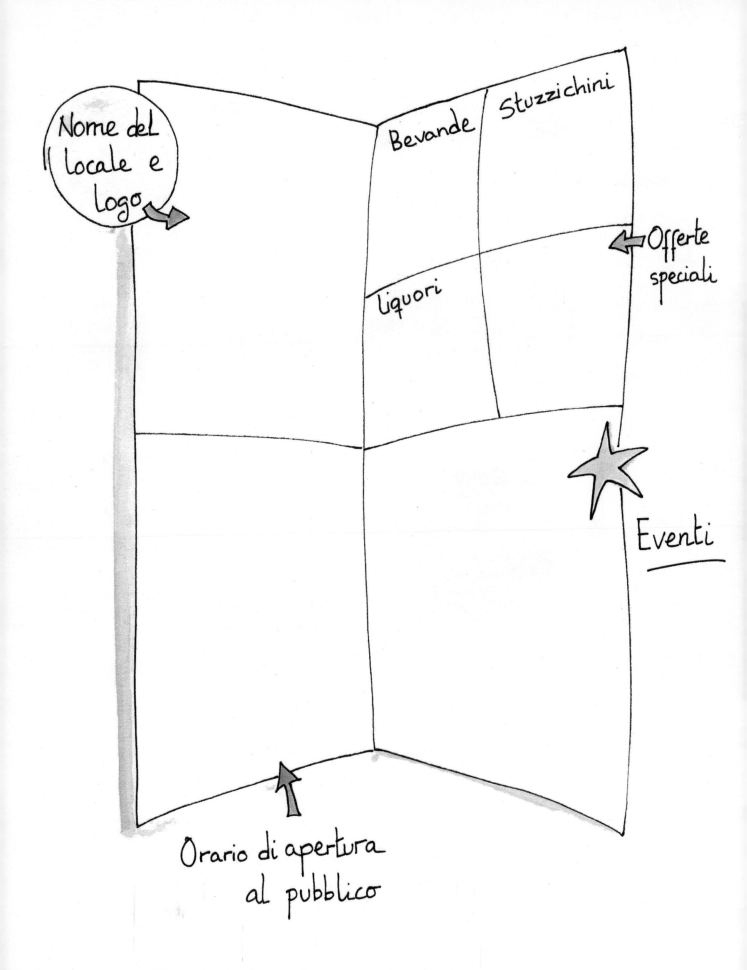

Nome del locale e logo

Bevande

Stuzzichini

Liquori

Offerte speciali

Eventi

Orario di apertura al pubblico

Usciamo insieme? 5

In questa lezione impari a:

- prenotare un tavolo al ristorante
- capire una breve indicazione stradale scritta
- chiedere la strada
- esprimere dispiacere
- ordinare e chiedere il conto al ristorante
- condividere o contestare un'opinione

1 Per iniziare

Come puoi descrivere questo ristorante?
Confronta le tue impressioni con alcuni compagni.

| semplice | elegante | caro | economico | etnico |
| tipico | particolare | originale | tranquillo | |

2 Trambelcanto, il risto-tram di Roma

PARLARE

a *Lavora con alcuni compagni.*
Secondo voi, che tipo di ristorante è il "Trambelcanto"? Che cosa offre?

ASCOLTARE

CD ▶ 19

b *Ascoltate la telefonata e verificate le vostre ipotesi.*

CD ▶ 20

c *Completa il dialogo, poi ascolta e verifica le tue scelte.*

> Eh, venerdì prossimo, se c'è posto. | Oh, benissimo! Perfetto. | Per due.
> Buongiorno. Senta, io vorrei prenotare un tavolo. | Grazie a Lei. Arrivederci. | Roncalli.

● Cooperativa "Il sogno", buongiorno.

▦ _____ . È possibile?

● Per quando, scusi?

▦ _____

● Venerdì prossimo... Per quante persone?

▦ _____

● Ah, allora sì, è possibile.

▦ _____

● Scusi, la prenotazione... a che nome?

▦ _____

● Roncalli. Va bene, grazie.

▦ _____

● Arrivederci.

> **Lingua**
> il venerdì = ogni venerdì
> venerdì = questo venerdì

3 Qualcosa in più

Leggi e associa le domande alle risposte.

e 1–2

● È possibile prenotare un tavolo per martedì prossimo?
● Siete aperti anche a pranzo?
● È possibile avere un tavolo fuori?

▦ Certo, dalle 12.30 alle 15.30.
▦ No. Fuori, è tutto prenotato, solo dentro.
▦ Mi dispiace, il martedì siamo chiusi.

4 Prenotare un tavolo

PARLARE

Lavora con un compagno.
Create un dialogo in base alle informazioni seguenti.

A: Fai una telefonata per prenotare un tavolo al ristorante "Il goloso".
B: Lavori al ristorante "Il goloso". Ricevi una prenotazione telefonica.

> **Lingua**
> ● Vorrei prenotare un tavolo.
> ▦ Per che ora?
> ● Per le otto.

5 Indicazioni stradali

a *Riascolta una parte della telefonata.*
Da dove parte il "Trambelcanto"?
Indica il punto sulla piantina.

b *Leggi l'e-mail e segui il percorso sulla piantina: dov'è l'albergo di Francesca?*

---

francesca@libero.it

Cara Francesca,
per venerdì sera tutto a posto: ho prenotato. La partenza del tour è alle
21.00 da piazza di Porta Maggiore e il giro è molto bello. Però purtroppo
io non posso venire a prenderti perché sono fuori per lavoro fino a tardi.
Sai dov'è piazza di Porta Maggiore? Tu esci dall'albergo e vai subito a
sinistra fino a via Biancamano. Qui giri a destra e continui sempre dritto:
attraversi via Menabrea e via Sessoriana, poi arrivi a un incrocio con il
semaforo (è l'incrocio di via S. Croce in Gerusalemme), attraversi anche
questo incrocio e vai dritto fino a via Eleniana. Qui giri a sinistra e poi vai
dritto fino a piazza di Porta Maggiore. Ci vediamo alla fermata del tram.
A venerdì, allora!
Federico

Consiglio!

Quando leggi,
concentrati sulle
parole chiave. Il
testo qui accanto,
per esempio, indica
un percorso
stradale. Devi quindi
fare attenzione ai
verbi e alle
espressioni che
descrivono luoghi
e direzioni.

c *Come si dice in italiano?*
*Cerca nell'e-mail del punto **5b** le espressioni corrispondenti alle immagini.*

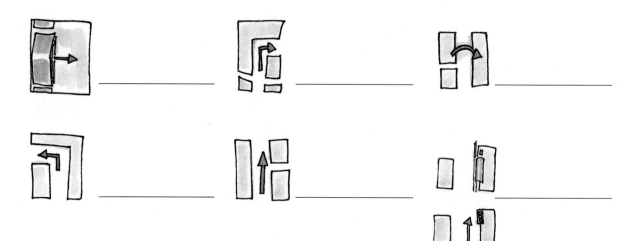

e 3

---

6 **Un appuntamento a Roma**

SCRIVERE

*Lavora in coppia. Il tuo compagno abita
nello stesso albergo di Francesca.
Tu lo aspetti lì vicino. Scrivigli un SMS con
una breve descrizione del percorso da
seguire per raggiungerti. Riesce a trovarti?*

> **Grammatica**
> **in** Via Biancamano
> **in** Viale Carlo Felice
> **in** Piazza di Porta Maggiore

CD ▶ 22 **7** **Senta, scusi!**

ASCOLTARE

*Numera le frasi e riordina i due dialoghi, come nell'esempio.
Poi ascolta la registrazione e verifica le tue scelte.*

▶ 1
- ☐ Ah... Grazie lo stesso.
- ☐ Sì, prego.
- ☐ Senta, sa dov'è la fermata del tram?
- 4 Scusi! Le posso chiedere un'informazione?
- ☐ Di niente.
- ☐ La fermata del tram? No, non lo so. Mi dispiace.

▶ 2
- ☐ Ah, sì. È vero. Beh, allora prendo l'autobus, grazie mille.
- ☐ Beh, a piedi sì, un po'. Però può prendere l'autobus numero 3.
- ☐ Ah sì? Dove, scusi?
- 4 Scusi. Piazza di Porta Maggiore è lontana?
- ☐ La fermata è là, vede?
- ☐ Prego, non c'è di che.

8 Per la strada

Lavora con un compagno. Scegli tre luoghi dalla lista qui sotto e posizionali sulla piantina.
Il tuo compagno deve chiederti la strada per raggiungere i luoghi indicati nella lista: se si trovano
sulla tua piantina, dagli le indicazioni stradali necessarie; se non ci sono, rispondi che non conosci
la strada, come nell'esempio. Alla fine chiedigli come si arriva a tre luoghi di tua scelta.

| il Museo Nazionale | il bar "Brillo" | Piazza Grande | il ristorante "Buongustaio" |
| il cinema Vittoria | il mercato | l'albergo Belvedere |

Esempio:
- Senta, scusi, sa dov'è il bar "Brillo"?
- Senta, scusi, il Museo Nazionale è lontano?

- Non lo so, mi dispiace./Sì. Lei va sempre dritto e…
- A piedi sì, però può prendere l'autobus numero 4./ No, Lei gira a sinistra e…

e 4–7

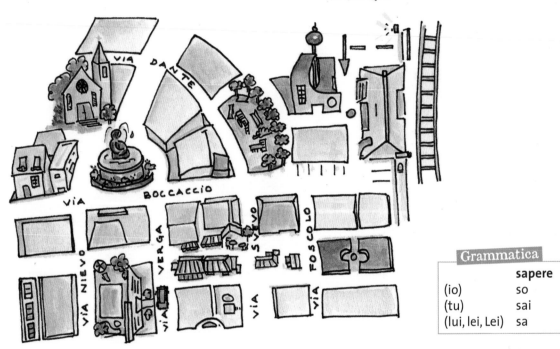

Grammatica		
	sapere	**potere**
(io)	so	posso
(tu)	sai	puoi
(lui, lei, Lei)	sa	può

9 Mangiare all'italiana

a *Lavora con alcuni compagni. Quali piatti italiani conoscete?*
Fate una lista e inserite i piatti nella categoria corrispondente.

antipasti	primi	secondi	contorni	dolci

CD ▶ 23

b *Che cosa ordinano Francesca e Federico? Ascolta e segna i piatti sul menu. Scrivi qui sotto quali bevande ordinano.*

Bevande:

Menu

Antipasti
salamini, pecorino stagionato,
olive di Gaeta
antipasto misto di pesce

Primi
mezze maniche all'amatriciana
risotto ai frutti di mare

Secondi
porchetta
tagliata di pesce misto

Contorni
funghi trifolati
verdure di stagione

Dolci
tortino al cioccolato
dolce millefoglie

CD ▶ 23

c *Chi parla? Segna con una "C" le frasi del cameriere, con una "F" le frasi di Francesca o Federico. Poi riascolta il dialogo e verifica le tue scelte.*

- ☐ Buonasera, signori.
- ☐ Io prendo...
- ☐ Però vorrei solo...
- ☐ Io invece prendo...
- ☐ E da bere?
- ☐ Gasata o naturale?
- ☐ Un quarto di vino rosso, per favore.
- ☐ E di contorno?

e 8

10 Al ristorante

Lavora con alcuni compagni.
Create un dialogo in base alle indicazioni seguenti.

C: Fai il cameriere in un ristorante. Prendi le ordinazioni dei clienti.

A e B: siete al ristorante e ordinate qualcosa da bere e da mangiare. Utilizzate il menu del punto **9b** o la lista di piatti del punto **9a**. Alla fine chiedete il conto.

Lingua
- Il conto per favore!   ▪ Subito!

11 Questione di gusti

Leggi questi minidialoghi.
Secondo te quando si usa "mi piace" e quando "mi piacciono"?

- Ah, bene. Mmm... Cosa dici, prendiamo il pesce?
- ▪ No, io no. Il pesce non mi piace.
- Ah... A me invece sì. Io prendo il pesce.

- Perché non prendi i funghi...
- ▪ No, i funghi no. Non mi piacciono.

12 Ti piace?

Inserisci altri tre piatti alla fine della lista. Indica i tuoi gusti con una "X" nella colonna appropriata.
Poi intervista gli altri compagni. Chi ha i tuoi stessi gusti?

mi piace/mi piacciono...	moltissimo	molto	abbastanza	per niente
la carne	☐	☐	☐	☐
il pesce	☐	☐	☐	☐
gli spinaci	☐	☐	☐	☐
le tagliatelle	☐	☐	☐	☐
_____	☐	☐	☐	☐
_____	☐	☐	☐	☐
_____	☐	☐	☐	☐

Esempi:
● Ti/Le piace la carne?
▪ Sì, mi piace molto. E a te?/E a Lei?
● Anche a me./A me invece no.

● Ti/Le piacciono gli spinaci?
▪ No, non mi piacciono. E a te?/E a Lei?
● Neanche a me./A me invece sì.

> **Lingua**
> ☺ Anche a me. / ☹ Neanche a me.
> ☹ A me invece no. / ☺ A me invece sì.

e 9–13

13 Una cena insieme

PARLARE

a *Che cosa è importante per te quando scegli un ristorante?*
Indica la tua opinione con una "X".

Mi piace il tipo di cucina. ☐   Mi piace l'ambiente. ☐   Il prezzo è conveniente. ☐

Il servizio è rapido. ☐   Il ristorante è tranquillo. ☐   Il personale è cortese. ☐

Il locale è vicino. ☐   altro: _____ ☐

b *Lavora con alcuni compagni. Scegliete un ristorante nella vostra città per andare a cena insieme.*
Alla fine un portavoce del gruppo comunica agli altri dove volete andare e perché.

Esempio:
● Vi piace la cucina italiana?
▪ Sì.
● Conoscete "Il goloso"?
▶ Sì, mi piace l'ambiente, il servizio è rapido...
● Allora va bene "Il goloso".

● Noi andiamo al ristorante "Il goloso" perché ci piace la cucina italiana.

> **Grammatica**
> noi → **ci** piace
> voi → **vi** piace

e 14–17

Culture a confronto

Al ristorante

a *Come funziona in Italia? Segna con una "X" le affermazioni corrette. Poi confronta le tue scelte con quelle di un compagno.*

Il tavolo

Il cliente si siede a un tavolo già occupato. ☐

Il cliente non si siede a un tavolo già occupato. ☐

Il pane

Il cliente ordina il pane. ☐

Il cameriere porta automaticamente il pane. ☐

Il cliente paga solo il pane che mangia. ☐

Il coperto

... indica le cose che servono per mangiare. ☐

... è denaro per il cameriere. ☐

... si paga. ☐

... è gratis. ☐

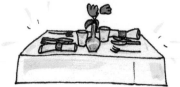

Il conto

Il cameriere calcola il conto per ogni cliente. ☐

Il cameriere porta un solo conto per tutti
   e poi si divide in parti uguali. ☐

La mancia

La mancia è obbligatoria. ☐

Il cliente lascia la mancia sul tavolo. ☐

Il cliente calcola esattamente la mancia
   e la dà al cameriere. ☐

b *E nel tuo paese come funziona? E in altri paesi che conosci?*

Grammatica e comunicazione

I verbi: il presente indicativo irregolare → vedi tabella in terza di copertina

	sapere	potere
(io)	so	posso
(tu)	sai	puoi
(lui, lei, Lei)	sa	può
(noi)	sappiamo	possiamo
(voi)	sapete	potete
(loro)	sanno	possono

Le preposizioni: *in, a* → 14

La fermata è in via Biancamano/
  in viale Carlo Felice/
  in piazza di Porta Maggiore.
Vado in tram in autobus/in taxi/a piedi.

Le preposizioni articolate: *di* → 14

+	il	lo	l'	la	i	gli	le
di	del	dello	dell'	della	dei	degli	delle

piacere → 9.1.5

mi	
ti	
gli	
le	*piace* + sostantivo
Le	*piacciono* + sostantivo
ci	
vi	
gli	

Il pesce (non) mi piace.
I funghi (non) mi piacciono.

prenotare un tavolo al ristorante

Vorrei prenotare un tavolo per due persone per
  venerdì prossimo.
È possibile avere un tavolo fuori?
Siete aperti anche a pranzo?

ordinare e chiedere il conto al ristorante

Io prendo...
Per me, di primo/di secondo...
Da bere vorrei...
Il conto per favore!

esprimere i propri gusti

Ti piace la carne?
Sì, mi piace (molto)./No, non mi piace per niente.
Le tagliatelle (non) mi piacciono.

indicare similitudini o differenze nei gusti

☺ Mi piacciono i dolci.   ☹ Non mi piace il risotto.
☺ Anche a me.   ☹ Neanche a me.
☹ A me invece no.   ☺ A me invece sì.

chiedere indicazioni stradali

Scusi, Le posso chiedere un'informazione?
Senta, scusi! Sa dov'è il bar "Brillo"?
Scusi, il Museo Nazionale è lontano?

dare indicazioni stradali

Giri/Gira a destra/a sinistra...
Vai/Va sempre dritto...
Arrivi/Arriva fino a...
Puoi/Può prendere l'autobus numero...

ringraziare e rispondere ai ringraziamenti

Grazie!/Grazie mille!
Prego, non c'è di che./Di niente.

esprimere dispiacere e rispondere a chi lo esprime

Mi dispiace, non lo so.
Grazie lo stesso.

Portfolio

Ora sei in grado di...

	😄	🙂	🙁	📖
prenotare un tavolo al ristorante	☐	☐	☐	2, 3
capire una breve indicazione stradale scritta	☐	☐	☐	5
attirare l'attenzione di qualcuno per strada	☐	☐	☐	7
ringraziare e rispondere ai ringraziamenti	☐	☐	☐	7
chiedere indicazioni stradali	☐	☐	☐	7, 8
ordinare e chiedere il conto al ristorante	☐	☐	☐	9, 10
indicare i cibi che ti piacciono	☐	☐	☐	12
condividere o contestare l'opinione di qualcuno	☐	☐	☐	12

Dedurre il significato di parole sconosciute

a *Nei testi italiani che leggi ci sono spesso parole che non conosci. Come puoi immaginare che cosa significano? Leggi il testo seguente.*

'ALMA.tv

Vai su www.alma.tv nella rubrica *Linguaquiz* e scopri l'origine di alcune parole italiane con i videoquiz a tempo!

KICK-OFF

Ristorante, Pub, Pizzeria, Osteria in zona Esquilino. Giardino privato con più di 300 coperti. Le specialità: primi piatti con pesce, secondi alla griglia, panini, crêpes, sfiziosità varie. Musica dal vivo dal martedì al sabato; possibilità di vedere sul maxischermo le partite di calcio. **Chiuso il lunedì.**

(da *www.romaexplorer.it*)

b *Che cosa ti ha aiutato a immaginare il significato delle parole sconosciute?*

Hai associato le parole italiane a parole equivalenti nella tua lingua. ☐

Hai associato le parole italiane a parole equivalenti in un'altra lingua. ☐

Hai provato a capire le parole grazie al contesto. ☐

Hai provato a capire le parole grazie alle parti di parole che conosci. ☐

c *Adesso confronta le tue risposte con quelle di un compagno. Raccontate le vostre esperienze su questo tema.*

E tu, cosa hai fatto?

6

In questa lezione impari a:

- ⊙ capire un testo semplice su eventi passati

- ⊙ raccontare attività ed eventi passati

- ⊙ riferire eventi in ordine cronologico

- ⊙ commentare eventi passati in modo semplice

- ⊙ scrivere un biglietto d'auguri

1 **Per iniziare**

Dove sono queste persone? Che cosa fanno?
Parlane con un compagno.

2 Due messaggi

a *A chi scrive Sergio? Lavora con un compagno: lo studente A legge la prima e-mail e la completa con le espressioni mancanti; lo studente B fa la stessa cosa con la seconda e-mail. Alla fine confrontate i vostri risultati.*

LEGGERE

1

sergio@libero.it

Sergio Masieri
A lunedì
Cordiali saluti
Sergio
Gentile dott. Scaletti
Ciao Stefano

_____,

il seminario è andato bene. In questi tre giorni abbiamo lavorato molto e fino a stasera non ho avuto un attimo di tempo libero. Ho sentito discussioni interessanti, con idee nuove e utili. Anche la mia presentazione è andata bene. Lunedì ritorno in ufficio e Le racconto tutto.

_____

_____

sergio@libero.it

_____,

il seminario è stato noioso. Per fortuna ho conosciuto due colleghe del posto, così non sono andato sempre al seminario e sono andato un po' in giro con loro: abbiamo pranzato in ristorantini deliziosi, siamo andati al cinema, abbiamo visitato la città. Ho ricevuto anche informazioni e idee utili. Ti racconto tutto in ufficio.

_____

_____

P. S. La mia presentazione è stata un successo: grazie per l'aiuto :-)

2

b *Leggi anche l'altra e-mail e rispondi alle domande qui sotto.*

Chi è il dott. Scaletti? ☐ Un collega. ☐ Un amico. ☐ Il direttore. ☐ Un cliente.

Chi è Stefano? ☐ Un collega. ☐ Un amico. ☐ Il direttore. ☐ Un cliente.

3 Ho conosciuto, sono andato...

SCOPRIRE LA GRAMMATICA

a *Sergio parla di un seminario di tre giorni. Sottolinea nelle due e-mail tutti i verbi che usa Sergio per raccontare cosa è/non è successo nei tre giorni (per esempio: "è andato").*

b *I verbi che hai sottolineato sono al passato prossimo. Secondo te, come si forma questo tempo? Con l'aiuto dei verbi che hai sottolineato nelle e-mail, completa la definizione. Poi, nelle e-mail, seleziona due verbi che ti sembrano particolarmente chiari e inseriscili sotto come esempi.*

passato prossimo: _____ / _____ + participio passato

es.: (infinito) _____ ⟶ _____ (passato prossimo)

es.: (infinito) _____ ⟶ _____ (passato prossimo)

c *In generale come si forma il participio passato? Completa le forme.*

pranz**are** → pranz_____   ricev**ere** → ricev_____   sent**ire** → sent_____

d *Rileggi le due e-mail e completa le frasi qui sotto. Secondo te che cosa succede quando il passato prossimo si forma con "essere"? Dove si mette la negazione? Confronta le tue risposte con un compagno.*

(Io) Non _____ sempre al seminario.

La presentazione *è andata* bene.

(Noi) _____ al cinema.

Le colleghe *sono andate* al seminario.

(Io) _____ discussioni interessanti.

(Io) _____ informazioni e idee utili.

(Noi) _____ la città.

Lucia e Sara *hanno visitato* la città.

Grammatica

Attenzione!
conoscere → conosc**iuto**; essere → **stato**

Consiglio!

Non avere paura della grammatica!
Cerca di scoprire le regole da solo e
di descriverle con parole tue.

---

4 **Che differenze ci sono?**   LEGGERE E PARLARE

Rileggi le due e-mail. In quali punti i due messaggi sono simili? Ci sono differenze nel racconto? Discutine con un compagno.

Consiglio!

Evidenziare analogie e differenze con
colori diversi aiuta a vederle meglio.

5 **Ieri Francesca e Alberto...**   SCRIVERE E PARLARE

a *Quali verbi della lista formano il passato prossimo con "essere" e quali con "avere"? Ordina i verbi nelle due colonne. Utilizza i testi del punto 2a come riferimento.*

andare	ascoltare	avere	conoscere	essere	fare	guardare	lavorare
leggere	passare	pranzare	restare	ricevere	sentire	uscire	visitare

avere	essere

b *Che cosa hanno fatto ieri Francesca e Alberto da soli, o insieme? Con uno o due compagni, descrivi la loro giornata con l'aiuto dell'immagine a fianco, dei verbi del punto 5a e delle espressioni sotto.*
Poi confrontate la vostra versione con quella di un altro gruppo: ci sono analogie o differenze?

Grammatica
fare → fatto; leggere → letto

e 3–6

| la mattina | il pomeriggio | la sera |

---

6 **Il gioco delle bugie** PARLARE

Pensa a 6 attività: tre cose che hai fatto la scorsa settimana e tre cose che non hai fatto. Riferisci le attività a due compagni. I tuoi compagni devono indovinare se menti o dici la verità e giustificare le loro impressioni. Per ogni bugia indovinata, si guadagna un punto.

- ● La settimana scorsa/Mercoledì sono andato/-a a Milano.
- ■ Secondo me, è vero perché A viaggia molto per lavoro.
- ▶ Secondo me, non è vero perché A non va in Italia per lavoro.

---

7 **A un seminario, al cinema o… ?** LEGGERE

a *Leggi i due testi seguenti e scopri se l'autore è un uomo o una donna.*

A

Ieri mattina sono partita alle 7 con il solito e ormai super collaudato gruppo dell'Uni3 (Università della terza età) di Omegna e sono andata a Brescia a vedere la mostra *America! Storie di pittura dal Nuovo mondo* al Museo di Santa Giulia. Una bellissima mostra che mi è piaciuta tantissimo. Mi sono piaciuti molto i quadri dei pittori della Hudson River School, ma ancora di più i racconti di vita su indiani e cowboy, nella sala dedicata a Buffalo Bill abbiamo visto anche la sua famosa Colt con il fucile Winchester. […] Al termine del giro siamo andati a mangiare al self service e poi siamo ripartiti per un pomeriggio in Franciacorta, terra di viti e di ulivi!

(da *http://blog.pupazzipensieri.it*)

B

Un mese fa mi hanno detto del concerto di Ligabue a Campovolo il 10 settembre (domani!!) e sono andata subito a comprare i biglietti. Il fatidico giorno ormai è arrivato: finalmente!! [...] Oggi è l'11 settembre, il concerto è stato ieri e vi voglio scrivere com'è andata! : -) Siamo partiti puntuali (strano : -)!) alle due e mezza. Siamo arrivati a Campovolo intorno alle 4, abbiamo parcheggiato e alle quattro e mezza siamo entrati in area concerto per cercare un posto. Dopo una mezz'oretta abbiamo trovato un posto. Abbiamo ascoltato i primi concerti: alle 18.40 Edoardo Bennato, un'ora dopo ha cantato Elisa, che mi è piaciuta molto. Un breve intervallo e poi... intorno alle 21.15 è finalmente entrato Ligabue! E ha fatto un concerto di quasi 3 ore! Mi è piaciuto molto! Ho cantato per tutta la sera! Unico punto negativo: l'acustica sicuramente non buona. In ogni caso da vedere!

(da www.ciao.it)

b *Che cosa raccontano le due persone? Rileggi i testi e completa la tabella, come nell'esempio.*

	A	B
Dove?		
Quando?	*ieri mattina*	
Con chi?		
Che cosa ha fatto?		
Che cosa le/gli è piaciuto?		
Che cosa non le/gli è piaciuto?		

Lingua

14 ottobre
un mese **fa** =
13 settembre

oggi è mercoledì
tre giorni **fa** =
domenica

SCOPRIRE LA GRAMMATICA

c *A partire dai due testi del punto 7a, fai una lista di verbi che hanno il passato prossimo con "avere" e una di verbi che hanno il passato prossimo con "essere".*

PARLARE

d *Hai mai visto anche tu una bella mostra o un bel concerto? Hai mai fatto qualcosa di simile? Racconta ai tuoi compagni che cosa hai fatto, quando e con chi.*

8 Il momento della verità

ASCOLTARE

a *Sergio telefona a Valentina. Ascolta e rispondi alla domanda.*

Chi è Valentina? La moglie. ☐ Una collega. ☐ La segretaria di Sergio. ☐

b *Riascolta e segna con una "X" la versione corretta.*

A Sergio il seminario è piaciuto. ☐ non è piaciuto. ☐
La presentazione di Sergio è andata bene. ☐ non è andata bene. ☐

c *Che cosa ha fatto veramente Sergio? Riascolta e segna le tue risposte con una "X".*

Sergio è andato sempre al seminario. ☐ Non è andato sempre al seminario. ☐
È uscito con i colleghi. ☐ Non è uscito con i colleghi. ☐

d *Ascolta il seguito della telefonata e segna le tue risposte con una "X".*

Che cosa non ha fatto Valentina?

Non è andata a una festa. ☐   Non è andata a una mostra. ☐   Non ha preso un aperitivo. ☐

Chi è Giorgio?   Un amico. ☐   Un collega. ☐   Un vicino di casa. ☐

Che cosa ha dimenticato Sergio?

Il compleanno di Giorgio. ☐   L'anniversario di matrimonio. ☐   L'onomastico di Valentina. ☐

e   7

---

iii **9** **Il detective privato**   SCRIVERE E PARLARE

> **A:** Sei un detective privato e devi pedinare Sergio. Insieme a un collega scrivi che cosa ha fatto Sergio negli ultimi giorni. Alla fine riferitelo al vostro cliente.

> **B:** Sei Valentina e hai incaricato una ditta di investigazioni private di pedinare Sergio. Insieme a un amico o un'amica prepara delle domande per il detective privato.

e   8–11

> prima... poi... | lunedì, martedì... | la mattina... | il pomeriggio... | la sera...
> Dove...? | Quando...? | A che ora...? | Che cosa...? | Chi...? | Con chi...?

Lingua	**Grammatica**	**Consiglio!**
Prima ha incontrato un'amica **e poi** è andato/-a a un concerto.	prendere → preso scrivere → scritto vedere → visto	È più facile ricordare le forme irregolari, se le raggruppi per analogia, per esempio: fatto/letto/scritto

---

ii **10** **Ti è piaciuta la festa?**   GIOCO

a *Lavora con un compagno. Come funziona il verbo "piacere" al passato prossimo? Rileggete i verbi della tabella del punto **7c** e scoprite come funziona.*

b *Quali sono i simboli della festa di compleanno? Scegliete le cose più importanti per voi e inseritele nella torta qui accanto, come nell'esempio.*

LA TORTA

> la torta | lo spumante | la musica
> le tartine | il vino | le bibite
> le decorazioni | i giochi | i pasticcini
> la birra | i regali | la sorpresa
> i cocktail | le maschere | le canzoni

c *Ieri siete andati a una festa di compleanno insieme. Ognuno di voi vuole chiedere all'altro cosa gli è piaciuto. Lo studente A fa scorrere l'indice sulla torta. Lo studente B, senza guardare la torta, dice "stop!". Lo studente A ferma il dito, formula una domanda con il verbo "piacere" al passato prossimo e la parola indicata nella torta in quel punto. Lo studente B risponde.*

Esempio:

e   12

torta → ● Ti è piaciuta la torta? ▶ Sì, mi è piaciuta molto. / ▶ No, non mi è piaciuta per niente.

11 **Tanti auguri a te!**

a *Trova il testo che ha scritto Sergio a Giorgio (8d).*
Poi associa gli auguri alla situazione corrispondente.

| compleanno | matrimonio | laurea | nascita |

24.04.09   20:45

Come al solito
in ritardo...
Tanti auguri!
Scusa!!

4/10/2009

Benvenuto Francesco!
E vive felicitazioni a
mamma e papà.

Brescia, 10.09.2009
Felicitazioni vivissime e
un augurio affettuoso per
il futuro.

Ascoli Piceno, 25 giugno 2009
Congratulazioni al neodottore!

b *Come si scrive la data? Rileggi i messaggi di auguri e osserva la data. Si scrive come nella tua lingua?*

Lingua

4/10/2009 = quattro ottobre duemila(e)nove
1° maggio 2011 = primo maggio duemila(e)undici

12 **E tu?**

Di solito come fai gli auguri? Hai mai ricevuto o fatto gli auguri in modo originale? Perché?
Discutine con alcuni compagni.

con un'e-mail
con un sms
con un biglietto
con una cartolina elettronica
con una dedica alla radio
con una telefonata
di persona
con una dedica sul giornale

13 **Auguri!**

Uno studente del tuo corso ha qualcosa da festeggiare?
Sorprendilo con un biglietto di auguri in italiano!
Puoi trovare alcuni esempi su www.auguri.it.

13-19

Lingua

i mesi	gennaio	aprile	luglio	ottobre
	febbraio	maggio	agosto	novembre
	marzo	giugno	settembre	dicembre

Culture a confronto

Regali per ogni occasione

Associa i regali alle occasioni.

festa della donna
(8 marzo)

compleanno

Befana
(6 gennaio)

San Valentino

nascita

invito a cena

Piccolo galateo dei regali

Ecco alcune regole di galateo per fare e ricevere regali. Nel tuo paese sono uguali? Quali sì e quali no? Quali regole è possibile aggiungere, secondo te?

Non regalare
fiori a un uomo.

Aprire il regalo subito.

Non regalare un
portafoglio vuoto.

Non regalare
oggetti a punta.

Non regalare
fazzoletti.

Non regalare
crisantemi.

Ringraziare
con enfasi
anche se il
regalo non
piace.

Non riciclare i regali.

Grammatica e comunicazione

Il passato prossimo: le forme → 9.4

	avere	+	participio		essere	+	participio
(io)	ho				sono		andato/andata
(tu)	hai		lavorato		sei		andato/andata
(lui, lei, Lei)	ha		avuto		è		andato/andata
(noi)	abbiamo		sentito		siamo		andati/andate
(voi)	avete				siete		andati/andate
(loro)	hanno				sono		andati/andate

Alcuni participi irregolari → 9.4

fare → fatto
essere → stato
conoscere → conosciuto
leggere → letto
prendere → preso
piacere → piaciuto
scrivere → scritto
vedere → visto

Il passato prossimo: l'uso dei verbi ausiliari → 9.4

→ Sergio ha visitato la città.
→ Lucia e Sara sono andate al cinema.
→ La festa mi è piaciuta molto.

Gli interrogativi → 12

Dove sei stato/stata?
Quando hai visto il film?
Chi hai incontrato?
Con chi sei andato/andata al cinema?

Il passato prossimo: la posizione della negazione → 10.2

Ieri non sono andata al cinema.
Il concerto non mi è piaciuto.

raccontare attività passate

Che cosa hai/ha fatto ieri?

La mattina ho lavorato, il pomeriggio ho fatto sport e la sera sono andato/andata al cinema.

La settimana scorsa sono andato/andata a Milano.

Sabato sono uscito/uscita con gli amici.

riferire eventi in ordine cronologico

Maria prima ha incontrato un'amica e poi è andata a un concerto.

Dopo il seminario ho visitato la città.

commentare eventi passati

Il seminario è stato noioso.

La presentazione è andata bene.

La festa mi è piaciuta molto/non mi è piaciuta per niente.

fare gli auguri e complimentarsi con qualcuno

Tanti/Tantissimi auguri!

Congratulazioni al neodottore!

Felicitazioni vivissime!

Portfolio

Ora sei in grado di...

	😄	🙂	🙁	📖
capire un breve testo su eventi passati	☐	☐	☐	2, 7
raccontare eventi passati	☐	☐	☐	5, 7
fare e rispondere a domande su eventi passati	☐	☐	☐	6, 9
commentare eventi passati in modo semplice	☐	☐	☐	10
scrivere un biglietto di auguri	☐	☐	☐	11

> 'ALMA.tv ▶
>
> Vai su www.alma.tv nella rubrica *Grammatica caffè* e goditi un caffè con il Prof. Tartaglione.

Tu e la grammatica (italiana)

Qual è il tuo profilo?

Studiare la grammatica è difficile per te. Le regole ti confondono. ☐

Studiare la grammatica ti aiuta. Hai bisogno di capire le regole con esattezza. ☐

Vorresti studiare la grammatica, ma non conosci molti termini grammaticali. ☐

Non vuoi studiare la grammatica: fare errori non è un problema per te,
se la persona con cui parli ti capisce. ☐

Non riesci a parlare liberamente: devi formulare frasi corrette prima di pronunciarle. ☐

Qual è il modo migliore di studiare la grammatica per te?

Ascolti la spiegazione di qualcuno/leggi le regole nel libro e le impari a memoria. ☐

Memorizzi di più le regole, se le scopri da solo. ☐

Per memorizzare le regole devi avere una frase di esempio. ☐

Ti piacciono le spiegazioni dettagliate. ☐

Le rappresentazioni grafiche (colori, tabelle, immagini) ti aiutano più delle spiegazioni. ☐

Ti aiuta fare molti esercizi nel libro/durante la lezione. ☐

Gli esercizi tradizionali non ti aiutano molto, preferisci formulare frasi tue. ☐

E qual è il modo migliore per i tuoi compagni?

Forse gli altri studenti possono darti qualche consiglio utile!
Confrontati con il maggior numero possibile di compagni su questo tema.

_____

_____

_____

_____

Breuil-Cervinia
Valtournenche
in estate è...
CI ESTIVO ∘ GOLF 18 BUCHE ∘ MOUNTAIN BIKE ∘ TREKKING ∘ ALPINISMO
...e ancora
equitazione, parapendio, rafting, pesca sportiva, tennis

Che hobby hai?

7

In questa lezione impari a:

⊛ parlare di sport e altre attività per il tempo libero

⊛ dire cosa sai e non sai fare

⊛ indicare la frequenza delle tue azioni

⊛ sostenere una conversazione semplice per fare la spesa in un negozio di alimentari o al mercato

1 **Per iniziare**

*Hai mai provato una delle attività elencate nel depliant?
Se sì, quale? Se no, quale ti sembra interessante?
Discutine con alcuni compagni.*

2 Che hobby hai?

a *Associa le espressioni alle fotografie.*

giocare a calcio ☐ | nuotare ☐ | andare in palestra ☐ | correre ☐ | cucinare ☐
dipingere ☐ | giocare a carte ☐ | andare in bici(cletta) ☐ | suonare la chitarra ☐
navigare su Internet ☐ | lavorare in giardino ☐ | fare yoga ☐

b *Dividi le attività dei punti 1 e 2 nelle categorie seguenti. Attenzione: alcune attività possono stare in diverse categorie. Poi confrontati con un compagno e inserisci altre 2 o 3 attività (pensa anche alle lezioni 4 e 6).*

attività all'aperto: _____

attività al chiuso: _____

attività individuali: _____

attività di gruppo: _____

3 **Che cosa fai nel tempo libero?**

Lavora con alcuni compagni. Che cosa fate nel tempo libero?
Siete sportivi o preferite attività rilassanti? Discutetene insieme.

4 **E loro che cosa fanno?**

a *Secondo te che cosa fanno queste persone nel tempo libero?*
Fai delle ipotesi con un compagno, poi ascoltate e verificate.

Silvano

Cecilia

Fausto

Marina

b *Chi fa che cosa? Riascoltate e collegate le frasi, come nell'esempio.*

Cecilia	fa la spesa con cura	perché nuotare è rilassante.
Fausto	va a ballare	perché ha poco tempo.
Marina	ama la corsa	perché non è un tipo sportivo.
Silvano	può fare poco sport	perché è rilassante.
	fa solo delle passeggiate con i cani	perché è perfezionista.
	va in piscina	perché così può stare in compagnia.

5 ***Sapere* o *potere*?**

Leggi con attenzione queste frasi tratte dalle interviste.

Ho poco tempo per rilassarmi, ma quando **posso** vado in piscina.
■ E **sa** suonare bene? ● Oddio, non sono tanto brava, **so** suonare così così.

> **Lingua**
> potere = avere la possibilità
> sapere = avere la capacità

E tu? Scrivi due cose che sai fare e due cose che non puoi fare.

6 **Che cosa sai fare?**

Si gioca in due squadre. La squadra A nomina un'attività e la squadra B
forma una o due frasi su questa attività con i verbi "potere" e "sapere".
Se la squadra B forma una sola frase corretta con i due verbi, riceve 2 punti.
Se forma due frasi, ciascuna con un solo verbo, riceve un punto.

Esempio:
A: Suonare il piano.
B: Cecilia sa suonare il piano, ma può suonare poco perché ha poco tempo libero. (2 punti)

7 Quante volte?

a *Ascolta Marina: con che frequenza va al corso di ballo?*
Con che frequenza va a cavallo?

b *Lavora con un compagno. Completate lo schema, come nell'esempio (sono possibili diverse combinazioni).*

sera | mattina | giorno | mese | settimana

una volta alla
due volte alla

una volta al
due volte al

ogni

e 3–5

c *Scrivi tre attività che svolgi regolarmente. Indica anche la frequenza e,*
se possibile, il motivo. Poi intervista alcuni compagni: con chi hai delle cose in comune?

8 Gli italiani e il tempo libero

a *Di quale hobby si parla?*
Leggi il testo, completa la tabella sotto e poi confrontati con un compagno.

Quasi quattro italiani su dieci (37 per cento) dedicano parte del tempo libero al giardinaggio e alla cura dell'orto dove raccogliere frutta, ortaggi o piante aromatiche da portare in tavola, come misura antistress, per passione, per gratificazione personale o anche solo per risparmiare. È quanto emerge da un'analisi della Coldiretti sulla base dei dati Istat sulle attività del tempo libero pubblicati nel 2008. Si tratta di un hobby che coinvolge allo stesso modo maschi e femmine e che piace ai giovani, considerato che è praticato da più di uno su quattro di quelli con età compresa tra i 25 e i 34 anni, anche se l'interesse aumenta con l'età e raggiunge quasi la metà degli over 65.
Il fenomeno è molto diffuso al nord come in Veneto, Valle d'Aosta e Friuli Venezia Giulia, dove interessa oltre il 50 per cento della popolazione, e meno nel Mezzogiorno (sotto il 25 per cento).
La ricerca di un legame più diretto con la natura, ma anche la volontà di garantire la qualità e la sicurezza del cibo che si porta in tavola ogni giorno sono i principali motivi di questa tendenza.
Un'attività che va bene non solo per chi ha un giardino, ma anche per chi ha un semplice terrazzo grazie all'offerta di piante adatte alla coltivazione in vaso. [...]

(da www.coldiretti.it)

hobby: _____

motivi: _____

persone che lo praticano: _____

regioni dove è diffuso: _____

chi lo può praticare: _____

b *Secondo te questo hobby è diffuso anche nel tuo paese? Quali altri hobby sono diffusi?*
Con quale frequenza e per quali motivi si praticano questi hobby?
Discutine in gruppo con alcuni compagni. Poi uno studente di ogni gruppo riferisce alla classe.

9 Al mercato

a *Guarda le fotografie. Quali alimenti della lista riconosci?*

radicchio | pomodori | patate | arance | insalata | cipolla | aglio
uova | limoni | fragole | ciliegie | angurie | pere | mele | peperoni
pane | carne | olio | burro | formaggio | mirtilli | fichi | zucchero
sale | pepe | prosciutto | mortadella | miele | pesche | melanzane

b *Classifica gli alimenti in base al colore.*
Poi prova a inserire in ogni colonna un altro alimento.
Alla fine confrontati con un compagno.

Grammatica

rosso → rossi
rossa → rosse
verde → verdi
Attenzione: "blu" è
invariabile!

bianco	nero	rosso	giallo	arancione	verde	blu

Consiglio!

Puoi memorizzare le parole più facilmente, se le associ a
immagini o esperienze positive (per esempio, puoi associare
la parola "rosso" al sapore delle fragole).

10 Il mondo dei colori

*Lavora con un compagno. Fate una lista di oggetti per ogni colore del punto **9b**.*
Vince la coppia con la lista più lunga.

11 **Fausto fa la spesa**   ASCOLTARE

a *Ascolta i due dialoghi: dove fa la spesa Fausto?*

☐ in macelleria   ☐ in un negozio di alimentari

☐ al supermercato   ☐ al mercato

☐ in panetteria

> **Consiglio!**
> Quando ascolti un dialogo, fai attenzione anche ai rumori di fondo: ti aiutano a capire meglio il contesto.

b *Che cosa compra Fausto?*

☐ un pacco di spaghetti   ☐ un chilo e mezzo di pomodori   ☐ una scatoletta di tonno

☐ un chilo di peperoni   ☐ un litro di latte   ☐ due etti di mirtilli

☐ due etti di pecorino   ☐ mezzo chilo di cipolle   ☐ due lattine di birra

☐ un filone di pane   ☐ un vasetto di marmellata   ☐ un panino con la mortadella

c *Riascolta i due dialoghi e concentrati sulle battute seguenti. Che cosa sostituisce la parola <u>sottolineata</u>?*

1: ● Bene. E quanti <u>ne</u> vuole?/■ Mah, un chilo, diciamo.   ☐ peperoni/☐ mele/☐ fichi

2: ● Quanti <u>ne</u> vuole?/■ Uno solo.   ☐ pancetta/☐ pecorino/☐ panino

12 **Desidera?**   SCOPRIRE LA GRAMMATICA

a *Trova la reazione giusta per ogni frase.*

Buongiorno. Desidera?   Ne prendo due etti.
Qualcos'altro?   Sì, questi sono di oggi.
Mmm... Non so che cosa prendere...   Vorrei un chilo di pomodori, per favore.
Ha anche dei mirtilli freschi?   Dunque, sono... 18 euro.
Quanto vengono?   Sì, della frutta.
Quanti ne vuole?   Senta, ho delle mele molto buone...
Quant'è?   4 euro all'etto.

b *Leggi di nuovo le frasi del punto 12a. Con quale frase puoi...*

chiedere il prezzo di un prodotto?   _____

chiedere il prezzo totale?   _____

> **Grammatica**
> Quanto viene il prosciutto?
> Quanto vengono i pomodori?

c *Come si esprimono le quantità? Completa con le espressioni del punto 12a.*

Quantità definita: Vorrei un _____ pomodori. | Indicazione di quantità + _____ |

Quantità indefinita: Ho _____ mele molto buone. | _____ + articolo |

d *Completa la regola.*

e 7–11   Per indicare la quantità di una cosa nominata in precedenza, si usa la particella pronominale _____

13 **Fai la spesa anche tu!**   PARLARE

Lavora con un compagno. Siete in Italia. Lo studente A ha affittato un appartamento e vuole trascorrere una vacanza all'insegna del "mangiar bene". Inoltre gli piace cucinare. Scrive la lista delle cose da comprare e va a fare la spesa. Lo studente B fa il negoziante.

> **Grammatica**
> il radicchio → Quanto ne vuole?
> l'insalata → Quanta ne vuole?
> i fichi → Quanti ne vuole?
> le pere → Quante ne vuole?

14 Un dialogo... "bucato"

CD ▶ 29

a *In questo dialogo mancano i pronomi diretti "lo", "la", "li", "le".*
Ascolta la registrazione e completa.

■ Senta, voi fate anche dei panini?

● Sì, _____ facciamo. Quanti ne vuole?

■ Uno solo.

● Bene. E come _____ vuole? Con il formaggio,
il prosciutto, la mortadella, la pancetta...

■ Mmm... Pancetta o mortadella?
Mi piacciono tutte e due...

● Beh, e perché non _____ prende tutte e due?
Posso fare due panini...

■ No, no, ne prendo uno solo. Con la mortadella...
perché non _____ mangio quasi mai...

● Bene... Ecco il panino. Altro?

■ Due etti di pecorino, per favore.

● _____ preferisce fresco o stagionato?

■ Stagionato.

● Benissimo. Ecco a Lei.

■ Grazie. Arrivederci.

● Arrivederci.

b *Le parole che hai inserito al punto 14a (pronomi diretti) sostituiscono cose o persone precedentemente nominate. Rileggi il dialogo e sottolinea le parole alle quali si riferiscono i pronomi.*

c *Completa la tabella qui sotto con i pronomi diretti del dialogo.*

	singolare	plurale
maschile	_____	_____
femminile	_____	_____

d *Come funzionano i pronomi diretti? Completa le due frasi.*

I pronomi diretti si trovano   prima del verbo/dopo il verbo.
L'avverbio di negazione *non* si trova   prima del pronome diretto/dopo il pronome diretto.

15 Io lo faccio, e tu?

*Formate due squadre. Ogni squadra prepara una domanda per ciascun giocatore
della squadra avversaria. A turno ogni giocatore fa la sua domanda a un giocatore avversario,
che deve rispondere in base all'esempio. Ogni risposta corretta equivale a un punto.*

Esempio:

e 12–15

■ Bevi caffè a colazione? ● Sì, lo bevo sempre. / ● No, non lo bevo mai.

16 Una cena insieme

*Lavora con alcuni compagni. Organizzate una cena insieme.
Decidete dove cenare e che cosa mangiare.
Poi dividetevi i compiti. Chi compra/prepara/porta che cosa?*

Esempio:

e 16–19

■ Chi compra gli spaghetti? ● Li compro io!
■ Chi prepara l'insalata? ▶ La preparo io!
■ Chi porta il vino? ▷ Lo porto io!

Culture a confronto

La Notte Bianca

a *Secondo te che cos'è la Notte Bianca?*

b *Leggi il testo e verifica le tue ipotesi.*

LA NOTTE BIANCA esiste soltanto dal 2002, ma è ormai entrata nelle abitudini del tempo libero. Parigi è stata la prima a portare in Europa questa iniziativa: negozi aperti tutta la notte, visita non stop a mostre e musei, concerti e spettacoli nei teatri, nelle strade e nelle piazze. La prima Notte Bianca in Italia è stata il 27 settembre 2003. E adesso non partecipano solo le grandi città come Roma, Milano e Genova, ma anche centri più piccoli come Varese, Sanremo, Cassino, Ferrara, Senigallia.

ROMA – I romani hanno fatto festa con la loro Notte Bianca anche quest'anno, anche senza i finanziamenti del Comune. Ecco alcune iniziative.

Cinecittà – Nel centro commerciale negozi aperti fino alle 24 e dalle 21 concerto con musiche di Piazzolla, mentre la piazza di Cinecittà si è trasformata in una sala da ballo all'aperto con un dj a guidare la festa per iniziativa di Rete Sport, Radio Italia e Radio 6. Moltissima gente ha visitato gli studi di Cinecittà, accompagnata dalle musiche dei film di Sergio Leone.

Piazza Sauli – Molti giovani hanno seguito la maratona di concerti – dalla Cover Band di De Gregori, La Locomotiva, a Veronica Lock a Max Gagliardi – fino a notte fonda.

Circonvallazione Ostiense – Molta gente e atmosfera di festa: in tanti hanno seguito le

danze ebraiche organizzate dall'associazione Hagape 2000 onlus e hanno cantato insieme a gruppi di musicisti rom. E a mezzanotte grande successo per il concerto di Tosca.

Piazza Navona – Molta gente alla maratona di tango con i musicisti e i ballerini del Festival del Tango organizzato da Musica per Roma, l'unica manifestazione sponsorizzata dal Comune.

c *La Notte Bianca esiste anche nella tua città? Se sì, hai mai partecipato? Che cosa hai fatto? Se no, esistono iniziative simili? E questo modo di divertirsi ti piace? Discutine in gruppo.*

Grammatica e comunicazione

I verbi modali: *potere, sapere* → 9.1.6

potere + infinito (possibilità)	*sapere* + infinito (capacità)
Posso fare poco sport perché ho poco tempo.	Cecilia sa suonare il pianoforte.

Gli aggettivi: le forme plurali → 4.1

tranquilli	tranquille
freschi	fresche
lunghi	lunghe
individuali ♂	individuali ♀

La concordanza: sostantivo + aggettivo (forme plurali) → 4.1

Loro sono tipi sportivi.	Io preferisco le attività tranquille.
I corsi di ballo sono divertenti. ♂	Faccio passeggiate rilassanti. ♀

I colori (aggettivi) → 4.2

Il pomodoro è rosso.	La fragola è rossa.
I pomodori sono rossi.	Le fragole sono rosse.
Il peperone/ La mela è verde.	I peperoni/ Le mele sono verdi.
Il mirtillo/ La susina è blu.	I mirtilli/ Le susine sono blu.

L'interrogativo *quanto?* → 12

Quanto radicchio? Quanta insalata?
Quanti mirtilli? Quante ciliegie?

La particella pronominale *ne* → 5.4

Vorrei del pecorino. Ne prendo due etti.
Delle mele, per favore. – Quante ne vuole?

L'articolo partitivo → 3.4

Vorrei della frutta.
Ho dei fichi molto saporiti.

I pronomi diretti → 5.3

Vorrei del pecorino. – Lo preferisce fresco o stagionato?
Senta, voi fate panini? – No, non li facciamo. ♂
Prendo la mortadella: non la mangio quasi mai...
Prende le fragole, signora? – Sì, le prendo. ♀

---

parlare di attività per il tempo libero

Che cosa fai nel tempo libero?/Che hobby hai?
Che sport fai?
Gioco a calcio, suono la chitarra, dipingo...

indicare che cosa si è o non si è capaci di fare

Sai suonare il piano?
Non so suonare il piano, ma so suonare la chitarra.

indicare con quale frequenza si fa qualcosa

Vado a cavallo una volta/due volte alla settimana/ al mese/all'anno.
Corro ogni giorno/ogni mattina.

indicare le quantità

½ kg/ ½ l, mezzo chilo/mezzo litro di...
1 kg/1 l, un chilo/un litro di...
100 gr., un etto di...

indicare il prodotto desiderato in un negozio

Un chilo e mezzo di pomodori, per favore.
Vorrei dei peperoni.
Ha dei mirtilli freschi?

chiedere il prezzo di qualcosa

Quanto viene il pecorino?
Quanto vengono i mirtilli?
Quant'è?

Portfolio

Ora sei in grado di...

	😄	🙂	🙁	📖
dire se pratichi uno sport e indicare quale	☐	☐	☐	1, 2
parlare di attività per il tempo libero	☐	☐	☐	2, 4
dire che cosa sei o non sei capace di fare	☐	☐	☐	5
indicare la frequenza delle tue azioni	☐	☐	☐	7
richiedere prodotti alimentari in un negozio o al mercato	☐	☐	☐	11, 12
chiedere il prezzo di un prodotto	☐	☐	☐	12

Ascoltare e capire

a *Sei in treno nel tuo paese. Di fronte a te sono seduti due turisti italiani che ti chiedono un'informazione in italiano. Tu non li capisci perfettamente...*

☐ quindi dimostri di non capire niente e rispondi "Mi dispiace, non lo so", o usi un'altra frase simile.
☐ ma fai finta di capire e rispondi "Mi dispiace, non lo so".
☐ e gli chiedi di parlare più lentamente.
☐ e gli chiedi "Come?" o "Potete ripetere, per favore?".
☐ e cerchi di immaginare di che tipo di informazione hanno bisogno.
☐ e gli chiedi di parlare in una lingua che conosci meglio dell'italiano.

b *Quali strategie ti sembrano migliori in una situazione di questo tipo? Perché? Discutine con i compagni.*

c *Come eserciti la comprensione orale? Quali strategie segui frequentemente, saltuariamente o raramente? Quali non hai mai provato? Segna le tue risposte con una "X".*

'ALMA.tv ▶

Vai su www.alma.tv nella rubrica *L'italiano con il cinema* e guarda un breve film in italiano. Alla fine puoi fare anche gli esercizi on line per verificare la comprensione. Cosa aspetti?

	spesso	ogni tanto	raramente	mai
ascoltare il CD del libro più volte				
ascoltare musica italiana				
ascoltare la radio in italiano				
vedere film in italiano (e provare a eliminare i sottotitoli sempre più spesso)				
praticare la lingua in tandem				
conoscere italiani e pregarli di parlare solo in italiano				
andare a iniziative nella propria città dove è possibile sentire persone parlare in italiano				
scaricare podcast in italiano				

Poi seleziona almeno una strategia che vorresti provare in futuro.
In futuro vorresti...

Ancora più chiaro 2

Festa di fine corso

1 *Vuoi organizzare una festa di fine corso. Hai raccolto 100 euro.*
Lavora in gruppo con 3 o 4 studenti.

2 *Fate un'indagine in classe per scoprire i gusti degli altri compagni.*
Preparate le domande da sottoporre ai compagni di corso sui punti seguenti:
cibo e bevande, musica, animazione, premi e piccoli regali.

Esempio: Sai cucinare?
Che cosa preferisci bere?
Che giochi conosci?
Che musica ascolti?

3 *Intervista quattro compagni degli altri gruppi e segna le loro risposte nella tabella qui sotto.*

nome	cibo e bevande	musica	animazione	regali

4 *Ritorna dai compagni del tuo gruppo. Insieme rielaborate i risultati e decidete come*
organizzare la festa. Preparate anche un invito scritto utilizzando lo spazio a pagina 88.

Dove facciamo la festa? E quando?
Chi porta da mangiare/da bere?
Che cosa prepariamo?
Chi si occupa della musica?
Che giochi facciamo?
Che premi e regali compriamo?
...

5 *Presentate la vostra proposta alla classe.*

6 *Adesso votate la proposta che preferite.*

Gioco

Si gioca in gruppi di 3 o 4 persone. Serve un dado per ogni gruppo e una pedina per ogni giocatore.

A turno i giocatori lanciano il dado e avanzano del numero di caselle indicate dal dado.

Se nella casella c'è una domanda, il giocatore A la completa e il giocatore B (alla sua sinistra) risponde. Se la domanda è corretta, il giocatore A può restare dov'è; se è scorretta, torna alla casella di partenza.

Se il giocatore B risponde correttamente, può rilanciare il dado. Se risponde in modo scorretto, tocca al giocatore successivo.

Se nella casella c'è un esercizio da svolgere, il giocatore deve completarlo; se c'è un'immagine, deve creare una frase appropriata: se non fa errori, può restare dov'è, altrimenti torna alla casella di partenza e il giocatore successivo lancia il dado.

Vince chi raggiunge per primo la casella "ARRIVO".

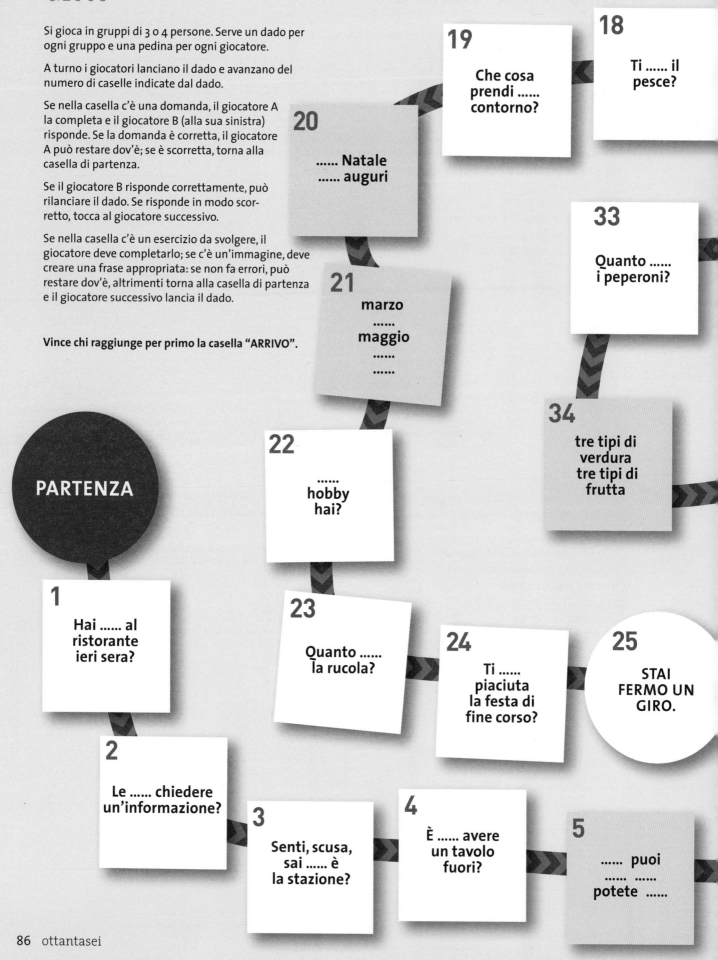

18 Ti ...... il pesce?

19 Che cosa prendi ...... contorno?

20 ...... Natale ...... auguri

33 Quanto ...... i peperoni?

21 marzo ...... maggio ....

34 tre tipi di verdura tre tipi di frutta

PARTENZA

22 ...... hobby hai?

1 Hai ...... al ristorante ieri sera?

23 Quanto ...... la rucola?

24 Ti ...... piaciuta la festa di fine corso?

25 STAI FERMO UN GIRO.

2 Le ...... chiedere un'informazione?

3 Senti, scusa, sai ...... è la stazione?

4 È ...... avere un tavolo fuori?

5 ...... puoi .... potete ......

17

PASSI ALLA CASELLA NUMERO 26 E STAI FERMO UN GIRO.

16

Io ...... cucinare bene. E tu?

15

Ti sono ...... i regali per il tuo compleanno?

14

caro ≠ ......
semplice ≠ ......
sinistra ≠ ......

13

Sei ...... al cinema la settimana scorsa?

32

Hai ...... un'e-mail all'insegnante?

31

Sai giocare ...... tennis?

30

TORNI ALLA CASELLA NUMERO 20 E STAI FERMO UN GIRO.

12

TORNI ALLA CASELLA NUMERO 8 E STAI FERMO UN GIRO.

35

Hai ...... la spesa oggi?

ARRIVO

29

Di ...... colore è la tua macchina?

11

Scusi, la fermata ...... autobus è lontana?

26

Hai ...... il giornale stamattina?

27

...... suonare il pianoforte?

28

10

...... uscit...... sabato sera?

6

7

Che cosa ...... fatto domenica pomeriggio?

8

un primo
un secondo
un contorno

9

Ti ...... i funghi?

Invito:

Ci vediamo?

8

In questa lezione impari a:

⊗ descrivere il tuo quartiere e la tua città

⊗ scrivere un'e-mail per invitare un amico a venirti a trovare

⊗ chiedere e dire cosa c'è in una città

⊗ chiedere e dire dove si trova qualcosa o qualcuno

⊗ capire la descrizione scritta di un breve itinerario turistico

1 **Per iniziare**

Quali posti riconosci nella piantina?
Scrivi i numeri accanto alle parole.

☐ l'ufficio postale   ☐ lo stadio
☐ il municipio   ☐ la cattedrale
☐ il parco   ☐ il parcheggio
☐ la stazione

2 Ciao Marco!

a *Fabrizio scrive un'e-mail a un amico.*
Perché? Leggi l'e-mail e scoprilo.
Poi confrontati con un compagno.

marco@libero.it

Ciao Marco!
Grazie per l'e-mail. Rispondo solo adesso perché in questi giorni sono molto occupato: nuova città, nuova casa, nuovo lavoro... ci sono mille cose da fare. Però piano piano va tutto a posto e per ora sono proprio contento: Ferrara è una città carina e tranquilla, non c'è traffico, c'è molto verde e tutto è a portata di mano. Io abito nel centro storico (in Largo Castello, di fronte al Castello Estense) e giro in bicicletta; vicino a casa mia ci sono tutte le cose che mi servono: la banca, la posta, dei supermercati, eccetera. Purtroppo i negozi piccoli, che io preferisco, sono pochi. C'è invece la possibilità di fare vari tipi di sport... o di vedere partite di calcio: lo stadio è in pieno centro. Solo il clima non mi piace molto: adesso ci sono delle zanzare enormi, e d'inverno c'è spesso la nebbia, mi hanno detto i colleghi.
Senti, ma perché non vieni a trovarmi? Anzi, vuoi venire il prossimo fine settimana?
C'è anche Roberto. Dai! Così facciamo qualcosa insieme dopo tanto tempo.
Fabrizio

b *Rileggete l'e-mail e rispondete alle domande seguenti.*

A Fabrizio piace Ferrara?
Secondo voi, Marco conosce Ferrara?

3 La città

a *In che zona di Ferrara abita Fabrizio?*
Trova la definizione nell'e-mail e scrivila vicino alla fotografia corrispondente.
Poi associa le altre definizioni alle foto restanti.

quartiere residenziale | zona industriale | periferia

b *Secondo te come sono i quartieri del punto 3a? Associa gli aggettivi seguenti alle foto.*
Puoi aggiungere anche altri aggettivi.

tranquillo/vivace | bello, carino/brutto | grande/piccolo
moderno/antico | rumoroso/silenzioso

4 C'è o è?

SCOPRIRE LA GRAMMATICA

a *Lavora con un compagno. Rileggete le frasi seguenti estratte dall'e-mail di Fabrizio.*
Osservate i verbi evidenziati: quando si usa "c'è" e quando "è"?

Ferrara è una città carina e tranquilla, non c'è traffico, c'è molto verde e tutto è a portata di mano.

b *Sottolineate nell'e-mail le frasi che contengono "c'è" o "ci sono": come si utilizzano queste espressioni?*
Provate a formulare la regola.

c'è + _____   ci sono + _____

5 Che cosa c'è in una città?

LAVORARE CON IL LESSICO

Lavora con un compagno. Inserite le parole nella categoria appropriata,
come nell'esempio. Poi provate ad aggiungere almeno una cosa per ogni lista.

ponte | strada | piazza | parcheggio | banca | chiesa | negozio
stadio | edicola | distributore (di benzina) | farmacia | stazione | municipio
museo | teatro | scuola | ospedale | ufficio postale | cinema

servizi di base:

ospedale...

infrastrutture:

ponte...

**servizi per attività culturali/
vita sociale:**

cinema...

6 Indovina dove abito!

GIOCO

Lavora con un compagno diverso da quello del punto 5.
Fai delle domande come nell'esempio e prova a indovinare in quale quartiere/città abita.
Vince chi indovina con il minor numero di domande.

Esempio:
È un quartiere tranquillo?
Che edifici ci sono?
Ci sono dei negozi?...

Vai su **www.almaedizioni.it/chiaro**
e impara l'italiano con la **musica**!

7   Dov'è?

a *Dov'è Fabrizio?*
Associa le immagini alle espressioni.

1

2

3

4

5

6

7

8

9

☐ di fronte al cinema   ☐ alla fermata dell'autobus   ☐ all'angolo

☐ accanto all'edicola   ☐ vicino alla farmacia   ☐ dietro il lampione

☐ davanti al distributore   ☐ fra il bar e la banca   ☐ lontano dalla fontana

b *Guarda il disegno, trova le informazioni sbagliate e correggile.*

La fermata dell'autobus è dietro la scuola.

_____

L'edicola è davanti al bar.

_____

Il supermercato è fra l'albergo e il bar.

_____

La scuola è di fronte all'ufficio postale.

_____

Il cinema è accanto all'ospedale.

_____

Il ristorante è accanto alla posta.

_____

e 8–12

8 Indovina dove sono!

*Gioca con un compagno. Scegli un luogo sulla piantina del punto 7b senza mostrarlo
al tuo compagno. Ognuno di voi deve indovinare in che punto si trova l'altro studente.
Vince chi trova per primo il punto esatto.*

Esempio:

■ Sei davanti alla banca?   ● No.   ■ Allora sei dietro...

9 Vieni a trovarmi?

a *Che cosa c'è vicino, accanto, di fronte a casa tua?
Fai una lista.*

Vicino a casa mia c'è..., ci sono...

Grammatica		
	venire	**volere**
(io)	vengo	voglio
(tu)	vieni	vuoi
(lui, lei, Lei)	viene	vuole
(noi)	veniamo	vogliamo
(voi)	venite	volete
(loro)	vengono	vogliono

b *Invita un amico italiano nella tua città. Descrivi il posto dove abiti.
Aiutati con le espressioni dell'e-mail del punto 2a.*

10 Quando vieni?

CD▶30

a *Rileggi la tua risposta alla domanda "Secondo voi, Marco conosce Ferrara?" dell'attività 2b,
poi ascolta la prima parte della telefonata: sei ancora d'accordo con la tua risposta?*

CD▶30

b *Che cosa c'è da vedere a Ferrara? Riascolta la registrazione, guarda la piantina del punto 1 e
segna i posti nominati.*

CD▶31

c *Ascolta la seconda parte della telefonata. Marco e Fabrizio non sono d'accordo su un punto: quale?*

e 13–14

fare il giro delle mura di Ferrara ☐   fare una gita nei dintorni di Ferrara ☐

girare Ferrara e dintorni in bicicletta ☐   noleggiare una macchina per girare la città ☐

11 Muoversi in città

Associa gli aggettivi ai mezzi di trasporto.
Puoi aggiungere anche altri aggettivi.

| comodo | caro/economico | sano | veloce/lento |

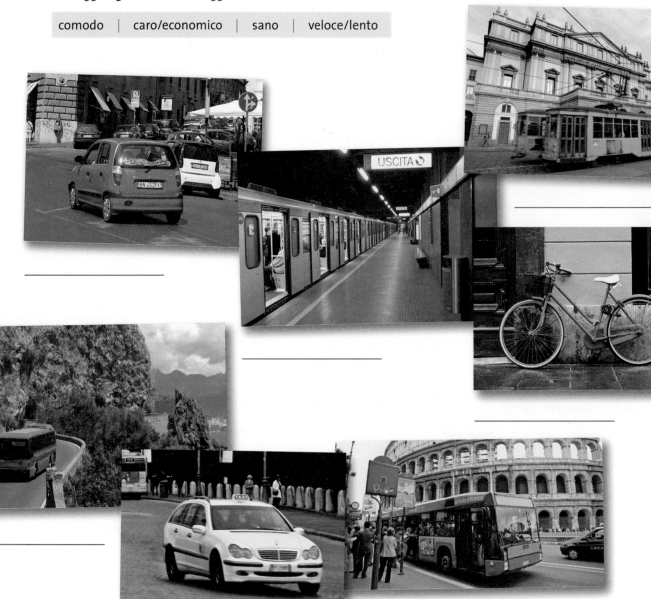

_____

_____

_____

_____

_____

_____

e 15–16

12 Io di solito giro in bici

Che mezzo di trasporto usi in città? Come vai al lavoro?
Come vieni al corso di italiano? Perché?
Discutine con alcuni compagni e poi riferisci alla classe.

Esempio:
Io vado al lavoro in metropolitana perché la fermata
è vicina a casa mia. E tu?

> **Grammatica**
> **andare/girare *in*** + mezzo di trasporto
> ma: **andare/girare *a*** piedi

13 **Un itinerario ferrarese**

a *Leggi l'itinerario seguente. Quale titolo va bene?*

> A piedi, in bicicletta o in barca:
> le escursioni da non perdere

I quartieri del centro storico

I quartieri dell'antico Po

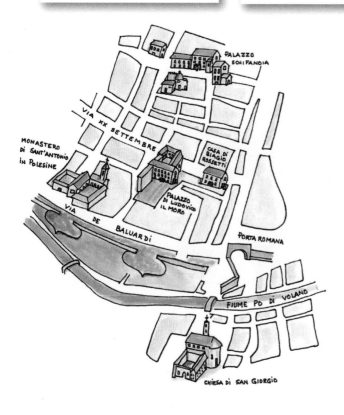

Dal centro prendere l'autobus n. 2 (fermata del Castello) e raggiungere, in via XX Settembre 124, il Palazzo Costabili detto di Ludovico il Moro, sede del Museo Archeologico Nazionale.
Raggiungere a piedi il monastero di S. Antonio in Polesine in vicolo del Gambone. Ritornare poi in via XX Settembre dove si trovano la casa di Biagio Rossetti e l'antica Porta Romana. Da qui voltare a destra in via Porta Romana, oltrepassare il ponte sul Po di Volano e arrivare fino all'antica cattedrale di Ferrara, la chiesa di S. Giorgio. Ritornare in centro con l'autobus n. 6 (fermata di fronte al piazzale di S. Giorgio).

(da *www.ipvalle.it*)

b *Pensa all'ultima volta che hai visitato una nuova città.*
Sei andato in giro da solo o con una guida turistica? A piedi, in pullman o in bicicletta?
Quali posti hai visitato? Discutine con un compagno.

14 **Abbinamenti di parole**

Senza guardare il testo del punto 13a, associa i verbi alle espressioni.
Poi rileggi il testo e verifica la soluzione.

prendere	il monastero
raggiungere	fino all'antica cattedrale
voltare	l'autobus
oltrepassare	a destra
arrivare	il ponte

17

15 **Una visita guidata nella nostra città**

a *Lavora con alcuni compagni. Fate una lista dei posti interessanti della vostra città o di una città vicina. Poi preparate un itinerario turistico.*

b *Ogni gruppo presenta il suo itinerario e la classe vota quello più interessante.*

18–20

Culture a confronto

La piazza

a *Che cosa c'è in una piazza italiana? Che cosa può fare la gente in piazza?*

b *Che cosa fanno gli studenti in Piazza di Porta Ravegnana, a Bologna?*
Leggi che cosa dicono alcuni di loro.

«Innanzitutto la piazza
è un luogo di passaggio frequentissimo
e ripetuto.»

(Lara, 21 anni)

«Questa piazza
è soprattutto un punto di ritrovo.»

(Giuseppe, 23 anni)

«Il luogo è così frequentato
per incontrarsi anche perché è uno
dei posti simbolo di Bologna.»

(Simone, vive vicino alla piazza da due
anni e mezzo)

c *Quali sono i luoghi d'incontro della tua città? C'è un posto dove si ritrovano soprattutto i giovani?*
Esiste un "luogo simbolo" della città? Se sì, quale? Perché è così importante? Discutine in gruppo.

Grammatica e comunicazione

essere → 9.1.7

> Ferrara è una città tranquilla.
> Lo stadio è in pieno centro.

esserci → 9.1.7

> A Ferrara non c'è traffico.
> In centro c'è uno stadio.

L'uso di *c'è* e *ci sono* → 9.1.7

> Che cosa c'è in una città?
> C'è una stazione, c'è uno stadio, ci sono dei negozi
> e delle scuole...

Le preposizioni: *in, a* → 14

> Andare/Girare in macchina, in autobus, in tram,
> in bici, in metropolitana.
> Andare/Girare a piedi.

I verbi: il presente indicativo irregolare → vedi
tabella in terza di copertina

	venire	volere
(io)	vengo	voglio
(tu)	vieni	vuoi
(lui, lei, Lei)	viene	vuole
(noi)	veniamo	vogliamo
(voi)	venite	volete
(loro)	vengono	vogliono

Le preposizioni articolate: *in, su* → 14

+	il	lo	l'	la	le	gli	i
in	nel	nello	nell'	nella	nelle	negli	nei
su	sul	sullo	sull'	sulla	sulle	sugli	sui

Le preposizioni di luogo → 14

di fronte a	vicino a
accanto a	fra/tra
davanti a	dietro
lontano da	su
in	

descrivere un quartiere o una città

> Io abito in un quartiere moderno e vivace.
> Ferrara è una città carina e tranquilla, c'è molto
> verde...

parlare di mezzi di trasporto

> Vado al lavoro in autobus/in macchina/
> in bicicletta/in metropolitana.
> In città giro a piedi.

chiedere e dire cosa c'è in una città

> Cosa c'è da vedere a Ferrara?
> C'è il Castello Estense, ci sono le mura e dei
> palazzi antichi...

descrivere un itinerario

> Dal centro prendere l'autobus n. 2 e raggiungere
> il Museo Archeologico Nazionale...
> Oltrepassare il ponte sul Po e arrivare fino
> all'antica cattedrale...
> Ritornare in centro con l'autobus numero...

chiedere e dire dove si trova qualcosa o qualcuno

> Dov'è Fabrizio?
> Il bar è all'angolo.
> Il supermercato è fra l'albergo e il bar.
> Fabrizio è alla fermata dell'autobus.

'ALMA.tv

Vai su www.alma.tv e guarda un video
della *Grammatica caffè*. Potrai scoprire
molte cose in modo divertente!

Portfolio

Ora sei in grado di...

	☺	☺	☹	📖
descrivere il tuo quartiere e la tua città	☐	☐	☐	2
scrivere un'e-mail per invitare un amico a venire a trovarti	☐	☐	☐	2
chiedere e dire dove si trova qualcosa o qualcuno	☐	☐	☐	7
parlare di mezzi di trasporto urbano	☐	☐	☐	11
capire la descrizione scritta di un breve itinerario turistico	☐	☐	☐	13
descrivere un breve itinerario attraverso la tua città	☐	☐	☐	15

Leggere e capire

In che modo leggi un testo in italiano? Fai questa prova!

a *Copri il testo, lasciando visibile solo il titolo e la fotografia.
Fai delle ipotesi sul contenuto del testo con l'aiuto
degli elementi visibili.*

Biciclette in comune: le città che pedalano

Novità a Milano: da fine novembre, nel centro della città, 1.200 biciclette del Comune da affittare per 50 centesimi ogni mezz'ora.

E nel resto d'Italia? A metà ottobre è nato, a Napoli, il Club delle Città per il bike sharing. Obiettivo: mettere a disposizione dei cittadini biciclette per gli spostamenti quotidiani.

In Italia il bike sharing ha successo. Sono ormai un centinaio le città che lo organizzano. Le prime sono state Ravenna e Modena (che oggi ha 250 bici). Di recente si sono attivate Bari, Roma e Torino.

Due sono le principali reti esistenti: «C'entro in bici», con servizio gratuito, e «Bici in città», con una tariffa oraria. In genere utilizzano il bike sharing soprattutto i pendolari, ma aumenta il numero dei turisti che lo apprezzano.

Per chi ama la bicicletta, infine, Ferrara celebra, fino alla primavera del 2009, l'anno della bicicletta con decine di eventi, spettacoli, iniziative (www.ferrarain bici.it).

(adattato da *Nicoletta Pennati, Io donna*, per *www.LeiWeb.it*)

b *Ora dai un'occhiata rapida al testo e verifica le tue ipotesi.*

c *Adesso leggi il testo con attenzione. Prova a individuare le parole chiave e i concetti principali.*

d *Che cosa ti ha aiutato a capire il testo?
Procedi sempre in questo modo, o a volte segui una strategia completamente diversa?
Pensa anche ai testi presentati nelle lezioni 1 - 7 e discuti con altri compagni della tua esperienza.*

Il mio mondo

9

In questa lezione impari a:

- descrivere il carattere di una persona

- descrivere l'aspetto fisico di una persona

- parlare della tua famiglia, dei tuoi amici e dei tuoi vicini

- descrivere la situazione familiare tua o di qualcun altro

1 Per iniziare

Secondo te chi sono queste persone? Dove sono? Che cosa fanno?
Discutine con alcuni compagni.

2 Un'iniziativa europea

a *Le persone nella fotografia di pag. 99 hanno letto questo annuncio.*
Leggilo anche tu e verifica le ipotesi che hai fatto al punto 1.

> Sabato 24 maggio, la **festa dei vicini**,
> invitate i vostri vicini a bere un aperitivo!
>
> Dove? Nel cortile o nell'ingresso del vostro
> immobile, nel vostro appartamento, nel vostro
> giardino o nella vostra villetta...

e 1

b *Conosci anche tu un'iniziativa di questo tipo? La trovi interessante?*
Perché? Discutine con alcuni compagni.

3 Alla festa dei vicini

a *Martina ha appena cambiato casa e incontra Luisa per la prima volta*
alla festa dei vicini. Secondo te, di che cosa parlano? Discutine con un compagno.

della festa/del tempo/della famiglia/degli altri vicini/della casa/

dei loro animali domestici/altro: _____

CD ▸ 32

b *Ascoltate il dialogo e verificate le vostre ipotesi.*

CD ▸ 32

c *Riascoltate il dialogo. Di quali vicini Luisa parla in modo positivo (p)?*
E di quali in modo negativo (n)?

☐ Cristiano e Pasquale   ☐ i signori Verlasco   ☐ Renato   ☐ la signora Anita

4 Che tipo è?

CD ▸ 33

a *Riascolta una parte del dialogo e segna gli aggettivi che senti con una "X".*

☐ antipatico   ☐ anziano   ☐ aperto   ☐ chiuso   ☐ giovane

☐ noioso   ☐ piacevole   ☐ simpatico   ☐ tranquillo   ☐ vivace

b *Lavora con un compagno. Formate delle coppie di contrari con tutti gli aggettivi del punto 4a.*

_____	≠	_____
_____	≠	_____
_____	≠	_____
_____	≠	_____
_____	≠	_____

Consiglio!

Gli aggettivi sono più facili
da ricordare, se memorizzati
insieme ai loro contrari.

e 2–3

c *Lavora con alcuni compagni. Secondo voi, come sono queste persone?*
Uno studente descrive una persona senza indicarla.
Gli altri cercando di indovinare chi è.

a

b

c

d

5 Mio, tuo, suo...

SCOPRIRE LA GRAMMATICA

CD ▶ 34

a *Ascolta e completa le frasi con gli aggettivi possessivi della lista.*

| loro | mia | miei | mio | sua | suo | tua | tuoi |

Luisa *(a Martina)*: «Per esempio, conosco i _____ vicini di piano.

Quello che abita alla _____ destra si chiama Renato.»

Martina *(a Luisa)*: «Ah, bene. E i _____ dirimpettai chi sono?»

Luisa: «I Verlasco si lamentano anche perché la _____ vicina suona il piano,

perché il _____ cane abbaia...»

Luisa: «Adesso invece ti presento la _____ vicina, Anita. La _____

casa è sempre aperta a tutti. E il _____ tiramisù è un mito.»

b *Lavora con un compagno. Rileggete le frasi e cancellate dalla regola qui sotto la soluzione sbagliata.*

Davanti a un aggettivo possessivo   c'è/non c'è   l'articolo determinativo.

c *Inserite nella tabella i possessivi che avete trovato finora.*

	singolare		*plurale*	
	maschile	**femminile**	**maschile**	**femminile**
io	il _____	la _____	i _____	le mie
tu	il tuo	la _____	i _____	le tue
lui, lei, Lei	il _____	la _____	i suoi	le sue
noi	il nostro	la nostra	i nostri	le nostre
voi	il vostro	la vostra	i vostri	le vostre
loro	il loro	la _____	i loro	le loro

d *Osservate i possessivi della terza persona singolare ("lui", "lei", "Lei") e plurale ("loro"): che cosa notate?*

e   4–6

6 Tris

Si gioca in coppia. Ogni giocatore sceglie un simbolo ("X" o "O"). Stabilite chi comincia. Il primo giocatore sceglie una frase e la completa con uno dei sostantivi della lista e un aggettivo possessivo. Se la frase è corretta, il giocatore mette il suo simbolo in una casella a scelta. Poi tocca all'altro giocatore. Se la frase non è corretta, il giocatore non può occupare una casella e il turno passa all'avversario, che deve correggere la frase prima di poter giocare. Vince chi per primo occupa tre caselle vicine (in orizzontale, in verticale o in diagonale). Attenzione: ogni giocatore può usare lo stesso possessivo una sola volta!

amiche   piatto
gatto   amici
vicina   villetta   cane
feste   vicini
città

... è tranquilla   ... abbaia sempre

... sono simpatici   ... abitano in centro

... è in un quartiere residenziale

... gioca in giardino   ... suona la chitarra

... studiano a Bologna

... sono sempre molto piacevoli   ... preferito è il tiramisù

7 La finestra di fronte

a *Guarda la fotografia. Che cosa vedi? Che cosa fa questa persona? Discutine con un compagno.*

b *Le finestre di casa vostra hanno le tende? Se guardate fuori, che cosa vedete? Parlatene insieme.*

c *Leggi l'articolo e poi confrontati con un compagno. Giovanna ha le tende? Che cosa vede dalle sue finestre?*

La città è bella perché hai le finestre di fronte. A Milano amano le tende, ma Giovanna è stata fortunata. Di fronte a lei, dall'altro lato della via e al suo stesso piano, è andata ad abitare una coppia nuova. Hanno circa quarant'anni, lei alta e bella, lui con la faccia da artista. Lavorano in casa, non fanno orari da ufficio, non hanno le tende, come Giovanna. Hanno cominciato a notarsi perché di sera, con le luci accese, vedi se il tuo vicino mangia o legge, chiacchiera o lavora, fa la doccia o il bucato. Giovanna ha cominciato a sentirsi voyeuse... Un giorno la dirimpettaia al bar sotto casa ha detto: «Ma tu abiti di fronte al 7 di via Mazzini?» Oh, ha pensato Giovanna, se anche lei mi ha riconosciuto vuol dire che mi ha visto girare in mutande. E all'improvviso si è sentita bene e ha sorriso come la sua dirimpettaia, contenta di aver trovato, in una città che ama le tende, una delle poche abitanti che le detesta.

(adattato da *la Repubblica*)

8 I miei vicini

Conosci i tuoi vicini di casa? Con loro usi il "Lei" o il "tu"?
Hai molti o pochi contatti con loro? Che tipi sono?
Discutine con alcuni compagni.

> **Lingua**
> dirimpettaio = persona che abita
> di fronte, nell'appartamento o
> nella casa di fronte

9 Che aspetto ha?

a *Trova nel testo del punto 7c*
le parole usate per descrivere
la vicina di Giovanna, poi
guarda questi disegni:
qual è?

b *Associa le descrizioni alle altre persone del punto 9a.*

☐ Pasquale è alto, biondo e porta gli occhiali.

☐ Cristiano è un ragazzo basso, magro e moro.

☐ Anita è una signora un po' grassa, con i capelli bianchi e corti.

☐ La signora Verlasco è snella, con i capelli castani e lunghi.

> **Lingua**
> Pasquale ha **i capelli biondi** =
> è **biondo**
> Cristiano ha **i capelli neri** =
> è **moro**
> Margherita ha **i capelli castani** =
> è **castana**

c *Inserisci gli aggettivi del punto 9b nello schema seguente.*

capelli

statura

corporatura

10 Appuntamento con uno sconosciuto

Da tempo comunichi in Internet con una persona, ma nessuno dei due ha mai
mandato una foto all'altro. Questa sera avete il primo appuntamento "reale".
Formula una breve descrizione di te stesso, così il tuo partner ti può riconoscere.
Scrivi la descrizione su un foglietto. L'insegnante raccoglie i foglietti di tutti gli
studenti e li ridistribuisce a caso. Leggi la descrizione e cerca il tuo partner.

11 Foto di famiglia

a *Inserisci i nomi di parentela della lista nella tabella.*

| madre | figlia | fratello | nonno | nipoti | marito | zia | cugino | nonni |

♂	♀	♂	♀
_____	nonna	_____	
padre	_____	genitori	
_____	moglie	coniugi	
figlio	_____	figli	
_____	sorella	fratelli	
zio	_____	zii	
_____	cugina	cugini	
nipote	nipote	_____	

CD ▶ 35

b *Ascolta il dialogo: quali nomi di parentela senti?* **Evidenziali** *nello schema del punto* **11a**.

CD ▶ 35

c *Riascolta il dialogo del punto* **11b** *e associa i nomi di parentela alle persone nella fotografia.*

e 9–10

12 I miei parenti

CD ▶ 36

a *Completa le frasi con i nomi di parentela.*
Poi ascolta la registrazione e verifica le tue scelte.

■ Che carini questi ragazzini! Sono i tuoi _____ ?

● Sì, sono i figli di mia _____ . Lì c'è anche una foto di gruppo, la vedi?

■ Sì.

● Ecco, lì dietro mio _____ c'è appunto mia _____ . E poi ci sono anche

   i _____ , che sono orgogliosissimi dei loro _____ naturalmente.

■ Ah, questi sono i tuoi...

● Sì.

- Tua _____ ti assomiglia molto. Tuo _____ invece no.
- Sì, lo dicono tutti...
- E questo ragazzo moro chi è? Tuo _____ o tuo cognato?
- Quello è il marito di mia _____ . Mio _____ è in un'altra foto con i bambini... Ecco, guarda: Chiara e Francesco con il loro _____ , gli sono molto affezionati.
- Ah, bella! E lui ha famiglia?
- No. Non è sposato, vive con la sua ragazza.

b _Sottolinea_ tutti i nomi di parentela con i possessivi nel dialogo al punto **12a**.
Poi completa le regole.

Davanti ai possessivi...
l'articolo **si usa** con i nomi di parentela

al singolare. ☐   al plurale. ☐

l'articolo **non si usa** con i nomi di parentela

al singolare. ☐   al plurale. ☐

Con il possessivo _____
l'articolo si usa al plurale e al singolare.

e 11–14

E questo ragazzo moro chi è? Tuo fratello?

No, quello è il marito di mia sorella.

13 **La mia famiglia**   PARLARE

Intervista un compagno. Fai domande sulla sua famiglia e disegna il suo albero genealogico. Confronta poi la tua famiglia con la sua: hanno dei punti in comune?
Attenzione: se preferisci, puoi descrivere una famiglia diversa dalla tua (anche inventata).

Lingua
Vivi solo/-a?
Hai famiglia?
Sei sposato/-a?

14 **La pagina web del nostro corso**   SCRIVERE E PARLARE

Vuoi comunicare in italiano con altre persone? Cerca dei partner in Internet!

a _Lavora in gruppo. Scrivete una breve presentazione di ognuno di voi con gli elementi seguenti:_
nome, età, aspetto, personalità, famiglia.

b _Ideate una pagina web per presentare il corso di italiano. Riproducetela su un cartellone._

e 15–17

c _Ogni gruppo presenta la sua pagina web e la classe sceglie quella che preferisce._

Culture a confronto

Gesti italiani

a *Secondo te, che cosa significano questi gesti?*
Guarda le fotografie e fai delle ipotesi.

1

2

3

4

5

6

7

8

b *Associa ogni frase a una fotografia del punto **a**.*

Non mi interessa per niente! ☐

☐ Quello è matto!

☐ Costa molto!

Buona fortuna! ☐

Ci vediamo dopo. ☐

☐ È ora di andare.

Ti telefono. ☐

☐ Ma che cosa vuoi?

c *Nel tuo paese ci sono dei gesti adatti a queste situazioni?*
Sono uguali o diversi dai gesti italiani? Conosci altri gesti tipicamente italiani?

Grammatica e comunicazione

I possessivi: le forme → 6

singolare		
(io)	il mio	
(tu)	il tuo	
(lui, lei, Lei)	il suo	
(noi)	il nostro	vicino
(voi)	il vostro	
(loro)	il loro	♂

singolare		
(io)	la mia	
(tu)	la tua	
(lui, lei, Lei)	la sua	
(noi)	la nostra	vicina
(voi)	la vostra	
(loro)	la loro	♀

plurale		
(io)	i miei	
(tu)	i tuoi	
(lui, lei, Lei)	i suoi	
(noi)	i nostri	vicini
(voi)	i vostri	
(loro)	i loro	♂

plurale		
(io)	le mie	
(tu)	le tue	
(lui, lei, Lei)	le sue	
(noi)	le nostre	vicine
(voi)	le vostre	
(loro)	le loro	♀

I possessivi: l'uso degli articoli → 6

Ti presento la mia vicina.
Sono i tuoi cani?
I Verlasco parlano con il loro vicini.
I Verlasco protestano con i loro vicini.

Ti presento mia sorella.
Sono i tuoi nipoti?
Ecco Chiara e Francesco con il loro zio.
I nonni sono orgogliosi dei loro nipoti.

I dimostrativi → 7

per persone o oggetti vicini a chi parla: questo/questi/questa/queste
E questo ragazzo moro chi è?

per persone o oggetti lontani da chi parla: quello/quelli/quella/quelle
Anita è quella signora con i capelli bianchi lì a destra.

descrivere le caratteristiche di una persona

Anita è una signora anziana molto simpatica.
I tuoi dirimpettai, Cristiano e Pasquale, sono
    simpatici.
I Verlasco sono un po' noiosi: hanno sempre un
    motivo per protestare.

descrivere l'aspetto di una persona

Pasquale è alto, biondo e porta gli occhiali.
La signora Verlasco è snella, ha i capelli castani e
    lunghi.

descrivere le relazioni di parentela

- ■ Che carini questi bambini! Sono i tuoi nipoti?
- ● Sì, sono i figli di mia sorella.
- ■ E questo ragazzo moro chi è? Tuo fratello?

descrivere la situazione familiare propria o di qualcun altro

- ■ E tuo fratello ha famiglia?
- ● No. Non è sposato, vive con la sua ragazza.

Portfolio

La comunicazione non verbale

La nostra comunicazione è per il 55 - 70% non verbale. Spesso le informazioni sono trasmesse non solo da gesti specifici, ma anche dall'insieme dei movimenti del corpo. È quindi possibile capire una conversazione o un discorso semplicemente osservando l'atteggiamento fisico di chi parla.

a *Che cosa esprimono per esempio le persone nelle fotografie attraverso il corpo? Discutine con un compagno.*

b *Nel tuo paese, in che modo puoi osservare persone italiane mentre parlano?*
Pensa a diverse possibilità (per esempio, ai calciatori o ad altri personaggi italiani famosi che lavorano o vengono spesso nel tuo paese), segnale qui sotto e poi confrontale con quelle di altri compagni.

_____

_____

_____

_____

Finalmente è venerdì!

10

1 Per iniziare

Quali località italiane hai già visitato? Dove si trovano?
Che cosa hai visto? Dove hai alloggiato (in un albergo,
in una pensione, in un bed & breakfast, in un agriturismo)?
Guarda la cartina d'Italia sul retro della copertina e discutine
con alcuni compagni.

2 Pacchetti week-end

a *Leggi le seguenti offerte per il fine settimana.*
Poi associa i titoli ai testi.

1 Moltissime le occasioni di svago intelligente per le famiglie, in città e sul Monte Bondone. Un fine settimana per sperimentare le leggi della natura, per emozionarsi con spettacoli di musica, teatro, letteratura e scienza. E sul monte Bondone, osservare le stelle con gli astronomi del museo, giocare con le piante, scoprire la flora e la fauna.

1° maggio – 30 novembre
Week-end (2 notti da venerdì a domenica)
A partire da € 169 – Prezzi a persona in camera doppia.

SPECIALI PROPOSTE FAMIGLIA:

2 genitori con 1 figlio fino a 14 anni:	sconto del 10 %;
2 genitori con 2 o più figli fino a 14 anni:	sconto del 20 %

(da *www.apt.trento.it*)

2 Dal 19 al 21 settembre e dal 26 al 28 settembre. Due week-end di settembre offrono il meglio dell'enogastronomia locale: nel centro storico del capoluogo trovate le tradizioni delle valli vicine e le produzioni delle Strade del Vino e dei Sapori del Trentino.
Per scoprire i colori, i suoni e i sapori dell'autunno.

- 19–21/09 e 26-28/09
  2 notti B & B o Hotel **:   € 126
- 19–21/09 e 26-28/09
  2 notti Agritur: € 137
- 19–21/09 e 26-28/09
  2 notti Hotel ***:   € 149
- 19–21/09 e 26-28/09
  2 notti Hotel ****:   € 178

La quota si intende per persona in camera doppia.

(da *www.festivaldeiraccolti.it*)

3 Perché scegliere fra sci e relax? Questo pacchetto li comprende tutti e due: potete godere sia delle passeggiate in città, nel centro storico di Trento, che delle attività sulla neve del Monte Bondone.

- periodo: 5 dicembre – 29 marzo
  Week-end (2 notti da venerdì a domenica) a partire da € 154 – Prezzi a persona in camera doppia.

(da *www.apt.trento.it*)

☐ **Alla scoperta di Trento: colori, suoni e sapori**

☐ **Fine settimana sulla neve**

☐ **Il Museo Tridentino di Scienze Naturali**

b *Quale pacchetto o quali pacchetti consigli a una persona che...*

☐ ama la natura?

☐ viaggia con i figli?

☐ ama la cucina regionale?

☐ vuole spendere poco?

☐ ama scoprire le tradizioni locali?

☐ vuole fare sport, ma anche rilassarsi?

c *Quale pacchetto preferisci tu? Perché? Discutine con un compagno.*

ii
e 1

3 Le stagioni

a *Associa i nomi delle stagioni alle immagini.*

☐ estate

☐ primavera

☐ autunno

☐ inverno

a

b

c

d

ii

b *Quali colori, sapori, suoni associ alle stagioni?*
Fai una lista per ogni stagione (chiedi all'insegnante le parole che non conosci in italiano).
Poi confrontati con un compagno: quali somiglianze e quali differenze ci sono?

4 I numeri: le centinaia

a *Inserisci nella tabella i prezzi dei pacchetti.*

100 cento	101 centouno	_____ centoventisei
_____ centotrentasette	_____ centoquarantanove	_____ centocinquantaquattro
_____ centosessantanove	_____ centosettantotto	200 duecento
221 duecentoventuno	900 novecento	950 novecentocinquanta
1000 mille		

b *Lavora con un compagno. Lo studente A dice un numero tra 100 e 1000, B lo scrive e dice una cifra (fra 1 e 10) da sommare o da sottrarre, A scrive il risultato.*

Esempio:

● Duecentotré.

■ 203 – Duecentotré meno/più quattro.

● Centonovantanove. / Duecentosette.

e 2

5 Vorrei prenotare una camera

a *Ecco alcune domande utili per prenotare una camera d'albergo. Se vuoi, puoi completare la lista. Poi segna con una "X" le domande importanti per te e confrontati con un compagno: avete le stesse esigenze?*

☐ L'albergo è in centro?
☐ C'è un parcheggio?
☐ Si possono portare animali?
☐ Il bagno ha la vasca o la doccia?
☐ Quanto viene la camera?
☐ Quanto viene una camera singola?
☐ La prima colazione è compresa?

☐ Si può avere la mezza pensione / la pensione completa?
☐ C'è collegamento Internet in camera?
☐ L'albergo ha un centro benessere (piscina, solarium, palestra...)?
☐ È possibile pagare con la carta di credito?
☐ _____

CD ▶ 37

b *Ascolta la telefonata.*
Quale pacchetto del punto 2a va bene per la persona che vuole prenotare?

CD ▶ 37

c *Riascolta la registrazione. Quali domande del punto 5a senti?*

CD ▶ 37

d *Riascolta ancora.*
Quali servizi sono compresi nella quota del pacchetto?

☐ skibus
☐ 2 pernottamenti in albergo
☐ skipass giornaliero

☐ ingresso al museo
☐ escursioni
☐ Trento Card 48 ore

☐ pranzo o cena in un ristorante tipico
☐ degustazione di prodotti trentini
☐ visite guidate a Trento

e 3–4

6 Si può o non si può?

a *Leggi le frasi seguenti tratte dalla telefonata e concentrati sulle espressioni **evidenziate**.*

E per arrivare a Trento **si deve** usare **la macchina**?
Se **si prende il pacchetto**, lo skibus è compreso nel prezzo.
E **si fanno** anche **visite guidate** a Trento?

b *Cerca nelle domande del punto **5a** altri verbi con "si".*

c Completate la regola.

▶ *si* + verbo ⟨ singolare ☐ / plurale ☐ ⟩ + sostantivo singolare
▶ *si* + verbo ⟨ singolare ☐ / plurale ☐ ⟩ + sostantivo plurale

7 Che cosa si fa in vacanza?

a *Pensa ai "pacchetti week-end" del punto **2a** e forma delle frasi, come nell'esempio.*

Non si deve —————— la cucina regionale.
Si scoprono ——————— usare la macchina.
Si osservano   sport.
Si visita   la flora e la fauna.
Si possono   i prodotti locali.
Si prova   sperimentare le leggi della natura.
Si comprano   le stelle.
Si fa   il centro storico.

b *Che cosa si può fare in vacanza nella tua città? Scrivi due frasi, una al singolare e una al plurale.*

_____

_____

_____

8 Una prenotazione

a *Lavora con un compagno. Dividetevi i ruoli (A fa il turista, B il receptionist) e create un dialogo in base alle informazioni seguenti.*

▶ **A** telefona all'Hotel Montana per prenotare una camera e chiede informazioni sui servizi e sui prezzi.

■ **B** risponde alle domande di **A** con l'aiuto delle informazioni a pagina 123.

Grammatica	
	dovere
(io)	devo
(tu)	devi
(lui, lei, Lei)	deve
(noi)	dobbiamo
(voi)	dovete
(loro)	devono

b *Ora compilate il modulo per la prenotazione.*
*A prenota una camera (o più camere) nell'albergo a pagina 123, B prenota uno dei pacchetti del punto **2a**.*

Richiesta prenotazione

* Nome: [ ]   *** E-Mail:** [ ]

* Cognome: [ ]   *** Telefono:** [ ]

Indirizzo: [ ]   **Città:** [ ]

Periodo dal: [ ]   **al:** [ ]   **Notti:** [ ]

per: [ ] **adulti**

e per: [ ] **bambini dell' età di:** [ ] [ ] [ ] [ ]

Eventuali richieste speciali:

[ ] Letta l'informativa sulla privacy, acconsento al trattamento dei dati personali

e   5–9

9 Una cartolina dalle vacanze

LAVORARE CON IL LESSICO

a *Che tempo fa?*
Quali espressioni si possono associare a questi disegni?
Confronta la tue scelte con quelle di un compagno.

È brutto. | Nevica.
C'è (il) vento. | C'è la nebbia.
C'è il sole. | Fa caldo.
Ci sono 25° (gradi).

LEGGERE

b *Quali espressioni mancano al punto 9a?*
Trovale nella cartolina di Rita e poi rispondi alla domanda a destra.

Cara Martina,

questo week-end sono nel Parco Nazionale
Dolomiti Bellunesi. Non è la prima volta,
ci sono venuta anche l'anno scorso.
È veramente bello! Ieri abbiamo avuto un
tempo splendido: ho fatto un'escursione in
montagna e ho visto un'aquila reale! Oggi
mi riposo (tanto piove e fa freddo...).
Domani, se è bello, faccio una gita al
Lago del Mis, altrimenti vado al Museo
Etnografico. Vediamo un po'... Tanti saluti.

Rita

Martina Rossi

Via Boccaccio, 19

34170 Gorizia

E da te che tempo fa oggi?

c *Come si scrive una cartolina? Rileggi il testo del punto 9b e completa le rubriche.*

1 Per iniziare: _____

2 Dire dove si è: _____

3 Fare un commento generale: _____

4 Parlare del tempo: _____

5 Parlare delle attività: _____

6 Per finire: _____

d *Lavora con un compagno. Inserite nelle rubriche del punto 9c le seguenti espressioni. Ne conoscete altre?*

Un abbraccio | Ciao Martina! | Baci | La città è stupenda.
A presto | Cari saluti | Ci sentiamo

e 10–11

10 Una cartolina di gruppo
SCRIVERE

Lavorate in 6 e scrivete 6 cartoline dalle vacanze ispirandovi al punto 9c. Ognuno prende un foglio, scrive l'inizio della cartolina (punto 1: Per iniziare), piega il foglio e lo dà al suo vicino di destra, che scrive il punto 2 (Dire dove si è), piega il foglio, ecc. Continuate così fino al punto 6 (Per finire). Dopo il punto 6 ogni cartolina torna all'autore del punto 1, che la firma. Alla fine ognuno legge la «sua» cartolina a voce alta e il gruppo sceglie quella che gli piace di più.

11 Quando ci vai?
SCOPRIRE LA GRAMMATICA

a *Rileggi con attenzione la frase seguente. A che cosa si riferisce "ci"?*

Questo week-end sono nel Parco Nazionale Dolomiti Bellunesi. Non è la prima volta, **ci** sono venuta anche l'anno scorso.

b *Formula 5 domande a cui si deve rispondere con "ci", poi fai le domande a un compagno. Ogni risposta corretta vale un punto. Vince chi totalizza più punti.*

Esempio:
■ Quando vai al cinema? ● *Ci* vado ogni sabato.
■ Con chi sei andato/andata in vacanza? ● *Ci* sono andato/andata con i miei amici.

12 Sì, viaggiare
LEGGERE

a *Andrea ha inviato questa e-mail a un sito Internet. Secondo te a quale rubrica?*

☐ diari di viaggio   ☐ guide turistiche in Internet   ☐ consigli di viaggio

Ciao a tutti, mi chiamo Andrea, ho 36 anni, sono Dottore Commercialista e svolgo tante altre attività lavorative e non. Sono sposato ed ho due bellissimi figli. In mezzo a tutto questo trovo comunque il tempo di dedicarmi allo sport e soprattutto ai viaggi. Ho girato «mezzo mondo», ho visto luoghi incantati come le foreste del Nord della Thailandia, i laghi dell'arcipelago di Ko
5 Shamui, i fiumi arrabbiati del Nord della Scandinavia, i mari incantati dei Caraibi, delle Maldive ed il mitico Mar Rosso; ho fatto foto indimenticabili dalle dune del deserto e anche dalla cima delle oramai scomparse Torri Gemelle. Ho girato tanto, ma ho provato delle sensazioni indimenticabili anche nella mia bellissima e verde Umbria...

Avete mai passeggiato la mattina all'alba di un giorno di settembre tra le colline umbre accompa-
10 gnati dal vostro fedele amico (un cane ovviamente)?
Avete mai accompagnato un pescatore lungo un torrente nelle gelide mattinate di fine febbraio?
Avete mai passato una serata a guardare il tramonto tra le reti dei pescatori del lago Trasimeno?
Non è necessario andare chissà dove per vedere cose meravigliose, basta fermarsi un attimo ed
aprire gli occhi. Ecco: io vorrei farvi conoscere la mia regione.

(adattato da *www.viaggeria.it*)

b *A quali frasi del testo si possono associare queste fotografie?*

a _____   **b** _____   **c** _____

Avete mai... ?   SCOPRIRE LA GRAMMATICA

a *Rileggi le tre frasi dell'e-mail che cominciano con "Avete mai...?".
Secondo te che cosa significa "mai" in queste frasi? Discutine con un compagno.*

b *Hai mai fatto cinque di queste cose? Se sì, segnale con una "X".
Se no, segna con una "X" cinque cose a piacere. Poi cerca di indovinare che cosa ha segnato il tuo
compagno. A turno fatevi delle domande come nell'esempio. Vince chi indovina tutto per primo.*

guardare il tramonto su un lago   essere in un deserto
passeggiare all'alba con il cane   dormire all'aperto
partecipare a un viaggio organizzato   passare un week-end in Italia
fare un lungo viaggio a piedi   dimenticare a casa le valigie
andare in Italia in bicicletta   salire su una montagna
andare in campeggio   essere in Umbria

Esempio:
■ Sei/È mai stato/stata in un deserto?
● Sì, sono stato/stata nel Sahara. E tu...?/E Lei... ?/
● No. E tu...?/E Lei...?

e 12–14

14 **Lo faccio anch'io!**   SCRIVERE

*Diventa anche tu guida turistica in Internet! Scrivi un'e-mail di presentazione a
www.viaggeria.it: indica quali esperienze hai fatto e quale regione del tuo paese vuoi presentare.*

15 **Un week-end in Italia**   PARLARE, SCRIVERE E LEGGERE

Vuoi passare un fine settimana in Italia con i tuoi compagni di corso.

a *Lavora con alcuni compagni. Progettate un fine settimana per tutta la classe (destinazione, periodo,
alloggio, attività, motivazione). Scrivete il vostro progetto.*

b *Leggi i progetti degli altri gruppi. Ogni studente dice quale progetto preferisce e perché.
Vince il progetto che riceve più voti.*

e 15–18

Culture a confronto

Si deve usare la macchina?

a *Associa i biglietti ai mezzi di trasporto.*

☐ autobus | ☐ macchina | ☐ treno | ☐ corriera
☐ aereo | ☐ metropolitana | ☐ vaporetto

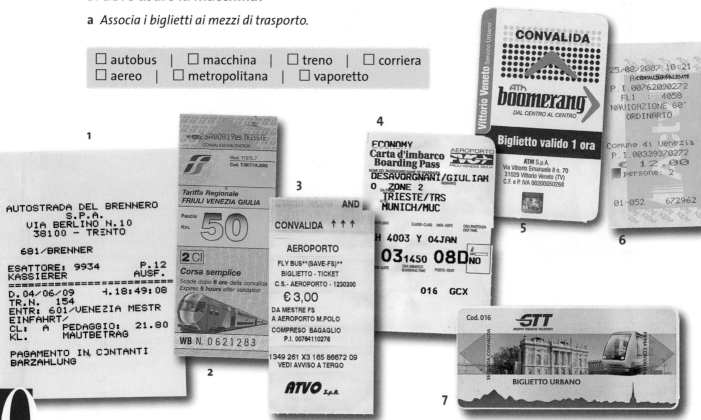

b *Quali mezzi di trasporto preferiscono gli italiani per le "vacanze week-end"?*

Vacanze brevi

In Italia nel 2008 per la prima volta le "microvacanze" (da 1 a 3 notti fuori casa) sono diventate di più delle vacanze tradizionali (4 notti e più). Secondo uno studio, è una tendenza che si consolida perché cambia lo stile di vita: per usare bene il tempo e il denaro si preferisce viaggiare più spesso, ma per poco tempo e in un posto vicino (a chilometri zero). Nei forum Internet i viaggiatori italiani confermano che si preferisce uscire semplicemente "fuori porta" e non usare la macchina, ma cambiare mezzo di spostamento (e quindi prendere il treno o il traghetto, andare a piedi o in bicicletta, o magari a cavallo…).

(da www.coldiretti.it)

c *E tu quale mezzo di trasporto preferisci per un fine settimana "fuori porta"?*
Anche nel tuo paese si diffonde la moda delle "microvacanze a chilometri zero"?

Grammatica e comunicazione

I numeri cardinali: 100 - 1000 → 15.1

100	cento		600	seicento
200	duecento		700	settecento
300	trecento		800	ottocento
400	quattrocento		900	novecento
500	cinquecento		1000	mille

La costruzione impersonale con *si* → 9.3

Per arrivare a Trento **si deve** usare **la macchina**?
E **si fanno** anche **visite guidate** a Trento?

La particella pronominale *ci* → 5.4

Questo week-end sono stato/stata **in Trentino**.
E tu **ci** sei mai stato/stata?

I verbi: il presente indicativo irregolare → vedi
tabella in terza di copertina

	dovere		
(io)	devo	(noi)	dobbiamo
(tu)	devi	(voi)	dovete
(lui, lei, Lei)	deve	(loro)	devono

chiedere e dire dove si è già stati

Sei mai stato in Italia?
■ Quali città italiane avete già visitato?
▶ Io sono andato a Trento.
● Io invece sono stata nel Parco Nazionale
Dolomiti Bellunesi, in Veneto.

raccontare le attività svolte in vacanza

Ho visitato il Museo Tridentino di Scienze Naturali.
Ho fatto una visita guidata a Trento.
Ho fatto un'escursione in montagna.

ottenere informazioni su un albergo

L'albergo è in centro?
C'è un parcheggio?
Si possono portare animali?
Quanto viene una camera singola?

chiedere e dare informazioni sul tempo meteorologico

Che tempo fa?
Oggi è brutto: piove, c'è vento e fa freddo.
Ieri abbiamo avuto un tempo splendido.

chiedere e dire il prezzo

Quanto viene la camera?
La camera doppia viene 70 euro a persona
(con/senza colazione).
A partire da 169 euro.

Vai su www.alma.tv nella rubrica *Linguaquiz*
e mettiti alla prova con i videoquiz a tempo!

Portfolio

Ora sei in grado di...

	😄	🙂	🙁	📘
indicare in quali paesi e città sei già stato	☐	☐	☐	1
capire una breve offerta turistica	☐	☐	☐	2
ottenere informazioni su un albergo	☐	☐	☐	5
prenotare una camera d'albergo per e-mail	☐	☐	☐	8
dare brevi informazioni sul tempo	☐	☐	☐	9
scrivere una cartolina dal luogo di vacanza	☐	☐	☐	9
progettare un fine settimana fuori città	☐	☐	☐	15

Non solo parole: sulle strade d'Italia

Oltre alle parole, anche le immagini, i simboli, i cartelli, ecc. possono aiutarti a orientarti in Italia e a indovinare il significato di parole che non conosci. Mettiti alla prova!

a *Associa ogni cartello al suo significato in Italia.*

☐ fermata dello scuolabus   ☐ scuola   ☐ polizia   ☐ vigili del fuoco

☐ stazione ferroviaria   ☐ ospedale   ☐ traghetto

a

b

c

e

d

g

f

b *A quali cartelli corrispondono le tre frasi seguenti?*

1 Per parcheggiare si deve pagare.

2 Qui finisce la regione Lazio e comincia la regione Abruzzo.

3 Questo parcheggio è riservato ai disabili.

☐

☐

☐

c *Conosci altri segnali italiani (stradali e non) che rappresentano immagini e parole? Raccogline diversi esempi (fotografandoli, cercandoli su Internet, ecc.) e, tra qualche settimana, confrontali con quelli di altri compagni: insieme provate a indovinare il significato dei segnali che avete trovato.*

Ancora più chiaro 3

Quiz. Conosci l'Italia?

1 *Adesso, arrivato alla fine di **Chiaro! A1**, conosci meglio l'Italia.*
Come compito finale, prepara un quiz sull'Italia per giocare con i tuoi compagni.
Lavora in gruppo con quattro studenti. Usate lo schema a p. 122.

2 *Preparate sei domande sul paese e sulla cultura e quattro domande sulla lingua.*
Potete usare il libro per cercare i temi e formulare le domande.
Importante: dovete conoscere la risposta alle domande e le domande devono essere
formulate in modo corretto. Se necessario, chiedete aiuto all'insegnante.

Esempi: In Italia il coperto al ristorante è gratis?
Il passato prossimo del verbo *prendere*.

3 *Ogni gruppo sceglie un conduttore del quiz e un portavoce per rispondere alle domande*
degli altri gruppi.

4 *Il conduttore del primo gruppo legge le domande e i portavoce degli altri gruppi*
rispondono dopo essersi consultati con i compagni. Vince il gruppo che ha risposto
al maggior numero di domande in modo corretto.

5 *Quando il quiz del primo gruppo è finito,*
cominciate con il quiz dell'altro gruppo.

6 *Alla fine tutta la classe vota il quiz più*
divertente.

Gioco

Si gioca in gruppi di 3 o 4 persone. Serve un dado per ogni gruppo e una pedina per ogni giocatore.

A turno i giocatori lanciano il dado e avanzano del numero di caselle indicate dal dado.

Se nella casella c'è una domanda, il giocatore A la completa e il giocatore B (alla sua sinistra) risponde. Se la domanda è corretta, il giocatore A può restare dov'è; se è scorretta, torna alla casella di partenza.

Se il giocatore B risponde correttamente, può rilanciare il dado. Se risponde in modo scorretto, tocca al giocatore successivo.
Se nella casella c'è un esercizio da svolgere, il giocatore deve completarlo; se c'è un'immagine, deve creare una frase appropriata. Se non fa errori, può restare dov'è, altrimenti torna alla casella di partenza e il giocatore successivo lancia il dado.

Vince chi raggiunge per primo la casella "ARRIVO".

18 ...... vuoi .... vogliono

19 Come si chiama il fratello di ...... madre?

20
Lui è ......

33 TORNI ALLA CASELLA 30 E STAI FERMO UN GIRO.

21 Che tempo ...... oggi?

34 È ...... la prima colazione?

PARTENZA

22 Io sono stato a Napoli. E tu? ...... sei mai stato?

1

23 TORNI ALLA CASELLA 18 E STAI FERMO UN GIRO.

24 Io ho i capelli .... E tu?

25 Come si chiamano ...... genitori?

2 Abiti ...... centro storico?

3 Ferrara è una città carin... e tranquill...

4 ...... non vieni a trovarmi domani?

5 A Palermo ...... molti cinema ...... il Museo del Mare

17
PASSI ALLA CASELLA 25 E STAI FERMO UN GIRO.

16
Vai a lavorare in ......?

15
Che cosa ...... fare nella tua città?

14
vengo ....
veniamo ....

13
Vieni ...... macchina al corso?

32

31
Si ...... pagare con la carta di credito?

30
...... prenotare una camera dal 4 al 9 maggio. È possibile?

12
C'è una fermata ...... autobus vicino a casa tua?

35
Quanto fa 237 + ...?

ARRIVO

29
la sua casa ...... libro ...... fratello ...... sorella

11
.... vieni a trovarmi?

26
...... viene una singola?

27
Sonia abita in un quartiere vivac...... modern...... grand......

28
Vai in vacanza al mare in ...... ?

10
MUSEO

6
È ...... la tua città?

7

8
Quando ...... il panettone?

9
Che cosa ...... nella città dove vivi? 2 edifici 2 infrastrutture

Quiz: Conosci l'Italia?

Domande	★ Punti Gruppo 1	Gruppo 2	Gruppo 3
1.			
2.			
3.			
4.			
5.			
6.			
7.			
8.			
9.			
10.			
Risposte esatte ➡			

HOTEL MONTANA ★★★
Loc. Vason, 84
38040 MONTE BONDONE (Trento)

A 150m dalle piste da sci, l'hotel Montana è un luogo ideale di vacanza per famiglie con bambini: per i piccoli ospiti ci sono spazi e menù speciali in ristorante e miniclub gratuito. 43 camere classic e 17 nuove Family Suite.
Servizi: piscina coperta, garage privato, sala colazioni panoramica, bar con caminetto, sauna, palestra, solarium, idromassaggio, Internet wi-fi, sala giochi con biliardo, campo di pattinaggio. Attività ed escursioni all'aperto per grandi e bambini. Centro benessere nelle vicinanze.

Hotel Montana – Inverno 2008-2009 (fino a 4 notti)				
	Mezza pensione		**Pensione completa**	
Periodo	Camera classic	Family Suite	Camera classic	Family Suite
15 Dicembre – 26 Dicembre	65	75	74	84
26 Dicembre – 6 Gennaio	94	108	103	117
6 Gennaio – 8 Febbraio	55	63	64	72
8 Febbraio – 8 Marzo	65	75	74	84
8 Marzo – 22 Marzo	55	63	64	72
22 Marzo – 15 Aprile	52	60	61	69

Speciale single: in tutti i periodi **no supplemento singola** (minimo 5 notti)

Speciale bambini:
• **Piano famiglia:** 2 adulti + 2 bambini fino a 12 anni = 3 adulti
• **Riduzione del 50%** per bambini **fino a 8 anni** (nati dopo il 30.11.00) in 3° e 4°letto
• **Riduzione del 30%** per bambini **da 8 a 14 anni** in 3° e 4°letto
• Baby fino a 24 mesi € 10,00 al giorno (con culla - pasti al consumo)

(adattato da *www.hotelmontana.it*)

Esercizi 1

1 *Trova nella griglia le 7 parole italiane nascoste in orizzontale o verticale. Con le lettere restanti forma un verbo italiano.*

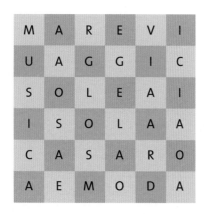

M	A	R	E	V	I
U	A	G	G	I	C
S	O	L	E	A	I
I	S	O	L	A	A
C	A	S	A	R	O
A	E	M	O	D	A

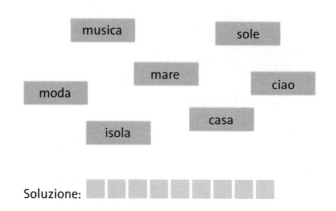

musica   sole

mare   ciao

moda   casa

isola

Soluzione: ▢ ▢ ▢ ▢ ▢ ▢ ▢ ▢

2 *Trova nel "serpente" qui sotto le formule di saluto in italiano.*

salvagenteciaobeneserabuonaserasantobuongiornomaremontiarrivedercipastabuonanottetuo

3 *Completa i minidialoghi con le formule di saluto.*

a

b

c

d

e

4 *Associa ogni frase alla reazione appropriata.*

1 È libero qui?
2 Mi chiamo Claudia Rosta.
3 Ciao, sono Valeria.
4 Come ti chiami?

a Piacere, Mario Sini.
b Sì, prego!
c Giorgio, e tu?
d Piacere, Anna!

5 *Forma tre minidialoghi con le frasi della lista.*

> Piacere, io sono Marco. | Buongiorno, mi chiamo Anna Marchesi. E Lei? | Buongiorno.
> Ciao, io mi chiamo Cinzia. E tu? | Piacere! Sono Francesco Marini.
> Buongiorno, sono Caterina Monti, sono la vostra insegnante di italiano.

1 ● _____   ● _____

2 ● _____   ● _____

3 ● _____   ● _____

6 *Completa la tabella con i verbi "essere" e "chiamarsi".*

> sei | si chiama | è | sono
> ti chiami | mi chiamo

	essere	chiamarsi
(io)	_____	_____
(tu)	_____	_____
(Lei)	_____	_____

7 *Completa i dialoghi con le forme coniugate di "essere" o "chiamarsi" (in alcuni casi è possibile usare entrambi i verbi).*

▶1 ◆ Ciao. Come _____ ?

    ● Paolo! E tu?

    ◆ _____ Carlo, piacere!

▶2 ▷ Buonasera, io _____ Clara Boni, e Lei?

    ● Buonasera, _____ Giovanni Gori.

▶3 ■ Tu _____ Marina?

    ▷ Sì.

▶4 ◆ Buongiorno, Lei _____ Barbara Raspetti?

    ● Sì. E Lei?

    ◆ _____ Antonella Rosi.

ROM ▶ 01 **8** *Ascolta le frasi: sono formali o informali? Segna la tua risposta con una "X".*

	1	2	3	4	5	6
formale	☐	☐	☐	☐	☐	☐
informale	☐	☐	☐	☐	☐	☐

9 *Inserisci l'articolo "il" o "la" dove è necessario.*

1 Buonasera, _____ signora Gardini!

2 _____ signor Manenti è svizzero.

3 _____ signora Falchetti è di Cesena.

4 Oh, _____ signor Botteri, buongiorno!

5 _____ signor Gatti, Lei di dov'è?

6 Signora Franchi... _____ signora Fonseca, una collega di Lisbona.

10 *Ordina le frasi e ricostruisci il dialogo tra Matteo, Giusi e Anna.*

| Ciao, Matteo... Lei è una collega di Milano | Sono di Orvieto |
| E tu, di dove sei? | Ciao, Giusi | Piacere, sono Anna | Ciao, Anna |

Matteo: _____

Giusi: _____

Anna: _____

Matteo: _____

Anna: _____

Matteo: _____

11 **a** *Di dove sono queste famose specialità?*
Completa le frasi con gli aggettivi di nazionalità.

| francese | italiano | greco | spagnola | austriaca | italiana | francese | austriaco |

La paella è _____   Il gyros è _____

Il parmigiano è _____   La pizza è _____

La sachertorte è _____   La baguette è _____

Il pastis è _____   Il würstel è _____

b *Prova a completare la regola sulla forma singolare degli aggettivi.*

Gli aggettivi concordano con la persona o l'oggetto a cui si riferiscono.
In italiano gli aggettivi si dividono in due gruppi principali:

• aggettivi che terminano in _____ al maschile e in _____ al femminile

• aggettivi che terminano in _____ sia al maschile che al femminile

12 *Inserisci le nazionalità. Fai attenzione alla desinenza degli aggettivi ("-o", "-a", "-e").*

1 Chelsea è _____ , di New York.

2 Pierre è _____ , di Nizza.

3 Il signor Barbero è _____ , di Torino.

4 La signora Blanc è _____ , di Berna.

5 Pedro Martínez è _____ , di Madrid.

6 John è _____ , di Londra.

7 Paola Marchesini è _____ , di Roma.

8 Isabelle è _____ , di Parigi.

ROM ▶ 02 **13** *Ascolta lo spelling e scrivi le parole corrispondenti.*

1 ▢▢▢▢

2 ▢ ü ▢▢▢▢

3 ▢▢▢▢▢▢▢

4 ▢▢▢▢▢▢

5 ▢▢ b ▢▢▢

6 ▢▢▢▢▢▢▢▢

Vai su **www.almaedizioni.it/chiaro** e mettiti alla prova con gli **esercizi on line** della lezione 1.

14 *Che cosa dici durante la lezione quando...*

1 cerchi una parola italiana che non conosci? _____

2 vuoi imparare a pronunciare una parola? _____

3 vuoi imparare a scrivere una parola? _____

4 vuoi chiedere il significato di una parola? _____

15 *Inserisci gli interrogativi della lista.*

| come | che cosa | di dove |

1 _____ sei, Mario?

2 _____ , scusi?

3 Io sono Martina Longo! E Lei? _____ si chiama?

4 _____ significa "pagina"?

16 *Inserisci i numeri nel righello nell'ordine giusto.*

uno
tre
sette
nove
dodici
sedici
diciotto

17 *Scrivi i numeri nel cruciverba, come nell'esempio.*

orizzontali		verticali	
6:	2	1:	4
7:	18	2:	0
8:	19	3:	15
9:	11	4:	16
10:	12	5:	17
11:	6	7:	10
12:	13	14:	8
13:	14		

CD ROM ▶ 03

18 *Ascolta la registrazione e <u>sottolinea</u> il numero di telefono che senti.*

1 La signora Gattuso ha il numero: 02 78 57 02 22   02 68 56 02 21   02 86 56 02 21

2 Bruno ha il numero: 383 84 93 601   333 89 37 015   338 49 36 015

19 a *Quali parole sono maschili? Quali femminili? Inseriscile nella tabella.*

maschile ♂	femminile ♀

vino   macchina
telefono
stazione
mare
direttore
opera
museo   voce
gelato   caffè   pasta
signora
piazza   treno

b *Adesso completa la regola:*

• i sostantivi che terminano in _____ sono generalmente maschili

• i sostantivi che terminano in _____ sono generalmente femminili

• i sostantivi che terminano in _____ possono essere o maschili, o femminili

Fonetica

ROM ▶ 04

20 I suoni [tʃ] e [k]

a *Ascolta la registrazione e fai attenzione alla pronuncia delle parole.*
Poi riascolta e ripeti le parole.

chiamarsi   Francesco   tedesco   macchina   mercato   sedici

piacere   cuore   pronuncia   perché   come   cinema

ROM ▶ 04

b *Riascolta le parole del punto **20a**: sottolinea il suono [tʃ] e cerchia il suono [k].*

c *Completa la regola sulla pronuncia dei suoni [tʃ] e [k]:*

- la **c** si pronuncia [tʃ] prima della lettera _____ e della lettera _____

- la **c** si pronuncia [k] prima delle lettere _____, _____ e _____, o quando c'è una **h** tra la **c** e la **e/i**

ROM ▶ 05

d *Ascolta la registrazione: senti [tʃ] o [k]? Segna la tua risposta con una "X".*

	1	2	3	4	5	6	7	8	9
[tʃ]	☐	☐	☐	☐	☐	☐	☐	☐	☐
[k]	☐	☐	☐	☐	☐	☐	☐	☐	☐

ROM ▶ 06

e *Ascolta e completa le parole.*

1 dodi_____   2 _____ao   3 flamen_____

4 va_____nze   5 Ameri_____   6 fran_____se

Dossier

21 Scrivi un dialogo tra due persone che si incontrano per la prima volta al corso di italiano.

Esercizi 2

CD ROM ▶ 07 **1** *Riordina le frasi della lista e forma tre minidialoghi.*
Attenzione: c'è una frase in più. Alla fine ascolta la registrazione e verifica le tue scelte.

> Ciao, Giada. Come va? | Sì, tutto bene. E tu? | Sì, prego. | Bene, grazie. E Lei?
> Buonasera, signor Massa. Come sta? | Ciao, Gianni. Tutto bene? | Eh, non c'è male, grazie.

1 ● _____   ● _____

2 ● _____   ● _____

3 ● _____   ● _____

2 *Forma sette professioni con le parti di parole qui sotto a destra.*
Poi inserisci le parole nella colonna giusta e completa la tabella con l'equivalente maschile o femminile di ogni professione.

maschile	femminile

com   co
medi
gato   segre
        raia
impie   gnante
ope   messa
    lista
giorna   tario   inse

CD ROM ▶ 08 **3** *Ascolta la registrazione e segna con una "X" la professione delle persone che parlano.*

> ☐ rappresentante ☐ insegnante ☐ medico ☐ operaio ☐ impiegato
> ☐ farmacista ☐ giornalista ☐ casalinga ☐ segretaria ☐ impiegata

4 *Con le lettere in basso a destra forma il presente singolare di "avere" e "fare" e completa la tabella.*
Le lettere restanti formano il contrario di "falso" in italiano.

	avere	fare
(io)	_____	_____
(tu)	_____	_____
(lui, lei, Lei)	_____	_____

Soluzione: _____

H
I A I R F F
A   C A O
  H F O O I E
H A A F V C

5 *Associa ogni domanda alla risposta corrispondente.*

1 Che lavoro fai?
2 Dove abita il signor Righi?
3 Ciao, Anna, come stai?
4 Che numero di telefono ha Gabriella?
5 Che lavoro fa il signor Ponti?
6 Paola, dove lavori?

a 06/67 85 46 34.
b A Bologna. Sono impiegata.
c Sono farmacista.
d A Viareggio, in Toscana.
e Bene, grazie, e tu?
f Non lavora, è pensionato.

6 *Completa con le desinenze delle professioni.*

▶1 ● Francesca, parli il tedesco?

◆ No, per lavoro uso l'inglese.

● Ah, e che lavoro fai?

◆ Sono giornalist_____ .

▶2 ● Massimo, viaggi molto per lavoro?

◆ Sì, sono rappresentant_____ .

▶3 ● Buongiorno, sono Isabella, la vostra insegnant_____ di italiano. E Lei, come si chiama?

◆ Sono Kurt, sono impiegat_____ e abito qui a Perugia.

● E Lei?

▶ Sono Pauline, sono medic_____ .

▶4 ● E Lei, signora, dove abita?

◆ A Macerata.

● E che lavoro fa?

◆ Sono commess_____ in un supermercato.

▶5 ● Paolo, che lavoro fai?

◆ Sono operai_____ . E tu, Adele?

▶ Sono segretari_____ .

▶6 ● Che lavoro fa la signora Del Vecchio?

◆ È casaling_____ .

7 *Riordina le parole e forma delle frasi, come nell'esempio.*

non   John   americano   è   inglese,   è   *John non è inglese, è americano.*

1 lavora,   studia   Tina   non   _____

2 lo   parla   non   Marco   spagnolo   _____

3 buongiorno,   qui?   libero   è   _____

4 francese   non   Fabien   è   _____

5 invece,   e tu,   dove   sei?   di   _____

6 pensionato   Giorgio   lavora,   non   è   _____

8 *Evidenzia nella griglia 16 forme dei verbi "abitare", "avere", "lavorare", "parlare", "usare" e "viaggiare". I verbi sono disposti in orizzontale o verticale. Le lettere restanti formano un complimento per te!*

L	B	L	A	V	O	R	I	A	M	O	R
A	H	O	B	A	V	E	T	E	A	L	P
V	U	S	I	A	M	O	U	U	B	A	A
O	A	V	T	H	A	I	S	S	B	V	R
R	I	S	I	U	S	O	A	I	I	O	L
A	P	A	R	L	I	A	M	O	A	R	A
T	A	B	I	T	O	S	I	M	M	A	N
E	V	I	A	G	G	I	A	N	O	O	O

Soluzione: ☐☐☐☐☐☐☐☐☐☐

9 *Completa con i verbi al presente.*

1 Anna e Marco (*abitare*) _____ in Grecia.

2 Noi (*parlare*) _____ l'inglese e il francese, ma per lavorare (*usare*) _____ lo spagnolo.

3 Karin (*abitare*) _____ a Berlino e (*studiare*) _____ l'italiano per lavoro.

4 (*Voi-avere*) _____ una casa in Italia?

5 Noi (*parlare*) _____ il francese e lo spagnolo perché (*viaggiare*) _____ molto per lavoro.

6 Dove (*voi-abitare*) _____ ? A Roma o a Viterbo?

7 I signori Marchesini (*parlare*) _____ lo svedese perché (*abitare*) _____ a Stoccolma.

10 *Completa con i verbi della lista al presente. I verbi non sono in ordine.*

abitare	viaggiare	essere	parlare	lavorare	usare	chiamarsi	avere

1 Barbara e Valentina _____ a Genova, ma _____ a Savona.

2 Francesco e Daniele _____ un collega inglese.

3 La mia insegnante _____ Chiara Rossi.

4 Paola e Giuseppe _____ molto per lavoro.

5 Marco, Daniele, di dove _____ ?

6 Voi _____ lo spagnolo?

7 Noi _____ l'inglese per lavoro.

Vai su **www.almaedizioni.it/chiaro** e mettiti alla prova con gli **esercizi on line** della lezione 2.

11 *Completa le domande con i verbi della lista al presente. I verbi non sono in ordine. Poi associa ogni domanda alla risposta corrispondente.*

parlano | sono | avete | fa | abiti | fai | lavorate | sta

1 Che lavoro _____ Letizia?

2 Che numero di telefono _____ ?

3 Come _____ , signora Cassani?

4 Tu _____ a Milano?

5 Loro _____ di Bergamo o di Brescia?

6 Che lavoro _____ ?

7 Paula e Philipp _____ l'italiano?

8 Piero, Giuseppe, voi dove _____ ?

a Sì, perché lavorano in Italia.

b Lavoriamo a Roma.

c È impiegata.

d Sono medico.

e No, abito a Verona.

f Non c'è male, grazie!

g Di Bergamo.

h 812365.

12 *Forma il maggior numero possibile di frasi con le preposizioni qui sotto.*

1 Il signor Ghezzi è

2 Gianna, abiti

3 Corinne abita

4 Hans è

5 Io lavoro

a
di
in

Siena.

Veneto?

Germania.

Berlino.

Francia.

13 *Inserisci le parole della lista nella colonna dell'articolo determinativo corrispondente.*

il	lo	la	l'

piazza
commesso
signora
mercato   tedesco
opera
cellulare   inglese
professione   spagnolo
operaio
svedese

14 *Completa con l'articolo "il", "lo", "la" o "l' ".*

1 _____ signor Klum parla _____ tedesco e usa _____ svedese per lavoro.

2 Corinne parla _____ francese.

3 _____ signora Elisabeth Mills parla _____ inglese.

4 Karol parla _____ polacco.

5 Lorena parla _____ spagnolo.

6 _____ segretaria parla _____ italiano, _____ greco e un poco _____ olandese.

15 *Evidenzia il numero che senti in ogni sequenza.*

a 66 76 86   c 78 88 98   e 7 17 27

b 22 32 42   d 45 55 65   f 34 44 64

16 *Associa le cifre ai numeri. I numeri restanti formano il prefisso per chiamare l'Italia dall'estero.*

| quarantadue | novantatré | sessantasette | ottantanove | settantasei |

00   42   81   89
     15   23   58   67   93
               39   76

| ventitré | cinquantotto | ottantuno | quindici |

Il prefisso internazionale per chiamare l'Italia è: ▢ ▢ ▢ ▢

17 *Completa le frasi con l'articolo indeterminativo "un", "uno", "un'" o "una".*

1 Buongiorno a tutti, sono _____ impiegato francese, ho 46 anni. Cerco _____ persona italiana per fare _____ scambio italiano – francese.

2 Ehi, ciao, sono Mary, _____ ragazza inglese di Liverpool. Ho 25 anni e studio l'italiano. Cerco _____ ragazzo o _____ ragazza di Roma o di Firenze per perfezionare la lingua italiana.

3 Ciao, ciao! Mi chiamo Sandra. Sono _____ insegnante di Trieste. Cerco _____ persona per conversare in polacco.

4 Ciao a tutti. Mi chiamo Fanny Smith, sono inglese e ho 72 anni. Cerco _____ amica di penna italiana.

18 *Forma il maggior numero possibile di frasi con un elemento di ogni casella, come nell'esempio.*

| Antonella io Clara e Ugo noi | abitare studiare lavorare parlare essere avere | lo spagnolo l'italiano farmacista un collega 34 anni | a in di per perché | Palermo lavoro mi piace Spagna |

Antonella abita a Palermo.

Antonella studia lo spagnolo per lavoro.

_____

_____

Fonetica

19 I suoni [g] e [dʒ]

a *Ascolta la registrazione e fai attenzione alla pronuncia delle parole.*
Poi riascolta e ripeti le parole.

Genova   impiegato   spaghetti   Bergamo   Inghilterra   buongiorno
Germania   Gorizia   yogurt   dialogo   giornalista   viaggiare

b *Riascolta le parole del punto **19a**: <u>sottolinea</u> il suono [g] e (cerchia) il suono [dʒ].*

c *Completa la regola sulla pronuncia dei suoni [g] e [dʒ]:*

• la **g** si pronuncia [g] prima delle vocali **a**, _____ e _____, o quando c'è una **h** tra la **g** e la **e/i**

• la **g** si pronuncia [dʒ] prima delle vocali _____ e _____

d *Ascolta la registrazione: senti [g] o [dʒ]? Segna la tua risposta con una "X".*

	1	2	3	4	5	6	7	8	9	10	11	12
[g]	□	□	□	□	□	□	□	□	□	□	□	□
[dʒ]	□	□	□	□	□	□	□	□	□	□	□	□

Dossier

20 Scrivi un breve testo informativo su di te: indica dove lavori, che lavoro fai, qual è il tuo numero di telefono e quali lingue parli.

21 Quando incontri qualcuno per la prima volta, che domande gli fai?

Esercizi 3

1 *Con le lettere della griglia forma 10 nomi di prodotti da bar. Aiutati con le immagini. Puoi usare la stessa lettera più volte.*

C	A	L	V	R
T	E	F	I	B
F	T	E	N	O
O	M	A	R	S
P	Q	I	T	U

2 *Completa il dialogo al bar con le parole della lista.*

> grazie | offro | aperitivo analcolico | cosa | vorrei | è | me | ecco | Lei

Massimo: Oggi _____ io. Che _____ prendi?

Valeria: Vorrei un _____, per favore.

Massimo: Per _____ una birra!

Barista: _____ l'aperitivo e la birra.

Massimo: _____ pagare subito. Quant' _____ ?

Barista: Sono cinque euro e venti.

Massimo: Ecco a _____ .

Barista: _____ . Arrivederci.

3 *Ascolta il dialogo e rispondi alle domande.*

1 Che cosa prende la signora? _____

2 Che cosa prende il signore? _____

3 Quanto paga il signore? _____

4 Che cosa prende il signore alla cassa? _____

4 *Inserisci le forme coniugate di "prendere" e "offrire" accanto al soggetto corrispondente.*

> prendete | offro | prendono | offrite | prendi | offrono
> prende | offre | prendo | prendiamo | offriamo | offri

io   _____   noi _____

tu   _____   voi _____

lui, lei, Lei _____   loro _____

Quali desinenze sono uguali e quali diverse?

_____

5 *Completa con le forme corrette di "prendere" e "offrire".*

▶ 1 ◆ Oggi _____ noi. Allora, che cosa (*voi*) _____ ?

    ● Per me una cioccolata.

    ▶ Io _____ un tè.

    ■ E per me un succo di frutta.

▶ 2 ◆ E tu? Che cosa _____ ?

    ■ Un'aranciata.

▶ 3 ◆ Giorgio, oggi _____ tu? Non ho un soldo.

    ■ Ma certo!

▶ 4 ◆ Che cosa _____ Lucia e Mariella?

    ■ Lucia _____ un tè e un tramezzino e Mariella un latte macchiato.

6 *Associa i sostantivi agli aggettivi (sono possibili diverse associazioni).*

La piadina,
L'aranciata,
Il tè,
L'acqua,
Il caffè,
La cioccolata,
Il tramezzino,
Il latte,
L'aperitivo,

calda o fredda?
dolce o amara?
dolce o amaro?
naturale o frizzante?
alcolico o analcolico?
caldo o freddo?

7 *Completa con le desinenze corrette degli aggettivi.*

Per me, una piadina cald ___ e un'acqua frizzant ___ !

Un cornetto, una cioccolata cald ___ e un'acqua natural ___ !

Io prendo un tè fredd ___ e un panino!

Un tramezzino cald ___ e un'aranciata amar ___ , per favore!

8 **a** *Completa i sostantivi con le desinenze singolari e plurali ("-o", "-a", "-i", "-e").*

singolare	plurale		singolare	plurale
un panin___	due panin___		una spremut___	due spremut___
una birr___	due birr___		un'aranciat___	due aranciat___
una piadin___	due piadin___		una colazion___	due colazion___
uno spumant___	due spumant___		un caffè	due caffè
un amar___	due amar___		un toast	due toast

b *Adesso completa la regola:*

• i sostantivi maschili che al singolare terminano in **-o** hanno il plurale in _____

• i sostantivi femminili che al singolare terminano in _____ hanno il plurale in **-e**

• i sostantivi maschili e femminili che al singolare terminano in **-e** hanno il plurale in _____

• i sostantivi che hanno l'accento sull'ultima sillaba o che finiscono con una consonante restano invariati al plurale

9 *Che cosa c'è sui due tavoli?*

a _____

_____

_____

_____

b _____

_____

_____

_____

10 *Tre persone vanno al "Caffè Roma", ordinano e pagano.*
Scrivi un dialogo corrispondente al contenuto dello scontrino qui sotto.

_____

_____

_____

_____

_____

_____

_____

Caffè Roma

1 latte macchiato	1,30€
2 bibite	7,00€
2 panini	5,00€
1 cornetto	0,90€
Totale	14,20€

11 *Ascolta le interviste. Che cosa mangiano e bevono queste persone a colazione?*

	mangia	**beve**
Matteo	_____	_____
Camilla	_____	_____
Francesco	_____	_____
Signora Grossi	_____	_____

12 *Associa le parole della lista all'articolo corrispondente.*

biscotti | aranciate | marmellate | vini | coni | aperitivi
caffè | pizzette | spumanti | piadine | yogurt

i

le

gli

13 **a** *Completa il testo con gli articoli determinativi (singolari o plurali).*

_____ prima colazione è anche specchio della cultura di un paese. _____ colazione "mediterranea" ingloba _____ usi alimentari di paesi come _____ Italia, _____ Francia, _____ Spagna e _____ Grecia. _____ tipica colazione all'italiana si basa su latte, caffè o tè, biscotti o fette biscottate, marmellata o miele e burro. Alcuni - specialmente fra _____ giovani o tra _____ ragazze - preferiscono _____ yogurt con _____ cereali. Ma sono tanti _____ italiani che fanno colazione al bar: in questo caso _____ abbinamento classico è un cappuccino o caffè con un cornetto. E non pochi, infine, _____ mattina non mangiano niente: prendono solo un caffè o non fanno colazione.

b *Adesso completa la regola sull'articolo determinativo al plurale:*

● davanti ai sostantivi maschili che iniziano con una consonante, l'articolo è: _____

● davanti ai sostantivi maschili che iniziano con una vocale o con la lettera **s** seguita da una consonante, l'articolo è: _____

● davanti ai sostantivi femminili, l'articolo è: _____

14 Completa il cruciverba con le forme coniugate di "bere" e "preferire".

verticali
1 noi *(preferire)*
2 tu *(bere)*
3 voi *(bere)*
4 voi *(preferire)*
5 noi *(bere)*

orizzontali

4 io *(preferire)*   6 lui, lei, Lei *(bere)*   8 tu *(preferire)*   10 io *(bere)*
5 loro *(bere)*   7 lui, lei, Lei *(preferire)*   9 loro *(preferire)*

15 Inserisci i verbi nella colonna corrispondente.

| sono | fate | fanno | siete | siamo | hanno | avete | facciamo | abbiamo |

	essere	**avere**	**fare**
(noi)			
(voi)			
(loro)			

16 Nel testo qui sotto la signora Botteri racconta come fa colazione la sua famiglia. Completa con i verbi coniugati.

«Noi *(essere)* _____ una tipica famiglia italiana. La mattina *(noi-fare)* _____

colazione in casa. Marco *(bere)* _____ un bicchiere di latte freddo e *(mangiare)*

_____ i biscotti al miele. Federica e Giorgio invece *(preferire)* _____ bere un tè

caldo e *(mangiare)* _____ pane e marmellata. Federica però *(mangiare)* _____

il pane senza burro perché è a dieta. Io *(amare)* _____ lo yogurt con i cereali e *(prendere)*

_____ un caffè lungo senza zucchero. Io *(conoscere)* _____ tante persone

che la mattina non *(fare)* _____ colazione, *(bere)* _____ solo un caffè, ma non

(mangiare) _____ niente. Perché?»

17 Che cosa dici quando...

1 desideri qualcosa?   a Ecco
2 porgi qualcosa a qualcuno?   b Quant'è?
3 offri qualcosa a qualcuno?   c Scusi
4 vuoi pagare?   d Vorrei
5 vuoi scusarti per qualcosa?   e Offro io

Vai su
www.almaedizioni.it/chiaro
e mettiti alla prova con
gli **esercizi on line**
della lezione 3.

Fonetica

ROM ▶ 14

18 I suoni [tʃ] e [dʒ]

a *Ascolta la registrazione e fai attenzione alla pronuncia delle parole.*
Poi riascolta e ripeti le parole.

dolce   gelato   pasticceria   cappuccino   mangiare   buongiorno
Giuseppe   aranciata   focaccia   cioccolata   formaggio   oggi

ROM ▶ 14
b *Riascolta le parole del punto 18a: sottolinea il suono [tʃ] e cerchia il suono [dʒ].*

ROM ▶ 15
c *Ascolta la registrazione: senti [tʃ] o [dʒ]? Segna la tua risposta con una "X".*

	1	2	3	4	5	6	7	8	9	10
[tʃ]	□	□	□	□	□	□	□	□	□	□
[dʒ]	□	□	□	□	□	□	□	□	□	□

ROM ▶ 16
d *Ascolta la registrazione e completa le frasi con le parole mancanti.*

1   Io prendo un' _____ amara.

2   _____ non _____ colazione a casa.

3   _____ ! Sono Paolo.

4   Vorrei una _____ calda.

5   Il _____ con o senza panna?

6   _____ ha _____ anni.

Dossier

19 **Immagina di andare in un bar italiano a fine pomeriggio. Come e che cosa ordini? Scrivi tre dialoghi.**

20 **Scrivi un breve testo su come fai colazione.**

3

Esercizi 4

CD ROM ▶ 77 **1** *Ascolta e associa ogni orario a uno dei cinque minidialoghi.*

☐ 00:00   ☐ 06:45   ☐ 17:55   ☐ 14:15   ☐ 22:30   ☐ 16:15

☐ 00:30   ☐ 09:20   ☐ 12:00   ☐ 06:05   ☐ 07:50   ☐ 16:25

2 *Trasforma l'ora, come negli esempi.*

sono le otto e trenta

sono le diciassette e quarantacinque ➡ sono le sei meno un quarto

sono le ventuno e venti _____

sono le dodici _____

_____ è l'una

sono le undici e quarantacinque _____

sono le dodici e trenta ⬅ *è mezzogiorno e mezza*

_____ è mezzanotte meno venti

sono le quindici e quindici _____

3 *Inserisci nella tabella le forme coniugate di "chiamarsi", "svegliarsi" e "alzarsi", come negli esempi. Completa con i pronomi riflessivi ("mi", "ti", "si", "ci", "vi", "si").*

	chiamarsi	svegliarsi	alzarsi
(io)			*mi alzo*
(tu)	*ti chiami*		
(lui, lei, Lei)			
(noi)		*ci svegliamo*	
(voi)			
(loro)			

alziamo
chiamo
alzi   chiamiamo
svegliate
sveglia
alzano
chiamano
alza   chiamate
svegli
chiama   alzate
svegliano   sveglio
svegliano
alzate
chiama
sveglio

4 *Quando fai queste cose? Per ogni attività scrivi una frase e indica anche un orario o una parte della giornata.*

svegliarsi _____

andare a lavorare _____

bere un caffè/un tè _____

fare una pausa _____

prendere un aperitivo _____

preparare la cena _____

guardare la TV _____

andare a dormire _____

5 *Completa i minidialoghi con le forme coniugate di "andare".*

▶ 1 ◆ Ehi, Guido, dove _____ ?

● Faccio una pausa, _____ al bar.

▶ 2 ▶ Dove (loro) _____ a studiare
l'inglese? In America, a Malta o in
Inghilterra?

◆ Ada _____ a Londra.
Marco preferisce andare in America.

▶ 3 ● Lucia, Vincenzo, che fate a pranzo?
_____ a casa?

▶ Sì, anche tu?

● No, io e Barbara _____ a
mangiare qualcosa al bar "Bettini".

▶ 4 ○ Perché la signora Ponti
_____ spesso in Francia?

● Per motivi familiari.

▶ 5 ▶ La mattina (io) _____ in ufficio
alle nove. E voi?

● Noi, di solito, ci alziamo alle sei
e _____ a lavorare verso le otto.

6 *Completa con le preposizioni "a", "all' " e "alle".*

1 _____ mezzogiorno mangio un panino in un bar.

2 Di solito Daniele si alza _____ sei.

3 Nadia porta a scuola i bambini _____ otto e un quarto.

4 Loretta fa una pausa _____ una.

5 Toni va a dormire _____ mezzanotte.

6 La segretaria comincia a lavorare _____ nove.

7 I bambini tornano a casa _____ una e mezza.

Vai su
www.almaedizioni.it/chiaro
e mettiti alla prova con
gli esercizi on line
della lezione 4.

7 *Unisci le parti di destra e sinistra e forma delle frasi corrette.*

1 Comincio la giornata   a qualcosa in un bar.

2 Vado a   b il giornale.

3 Marcella va   c con cappuccino e cornetto.

4 Paolo e Ada mangiano   d guarda la TV.

5 Maria si alza alle   e alle 7.15 e fanno colazione.

6 La sera Annika   f in ufficio alle 9.00.

7 La mattina leggiamo   g dormire verso le undici.

8 I bambini si svegliano   h 7.00 e prepara il caffè.

8 *I testi qui sotto descrivono la giornata tipica di Liliana, Mario, Federica e Livio. Completa i testi con i verbi della lista coniugati. Alcuni verbi sono presenti due o tre volte (vedi il numero tra parentesi).*

| guardare | giocare | leggere (2) | alzarsi (2) | fare (2) | andare (3) |
| dormire | svegliarsi | cominciare (2) | parlare | tornare | mangiare | lavorare |

Liliana, Mario e Federica

Noi _____ di solito alle sei. _____ la giornata con una doccia e poi _____ i titoli del giornale. Alle sette svegliamo Federica e _____ colazione insieme. Verso le otto io e mia moglie andiamo a lavorare e Federica _____ a scuola. Le lezioni cominciano alle otto e trenta. All'ora di pranzo Federica torna a casa e _____ i compiti. Il pomeriggio _____ con i suoi amici Tina e Fabio. Alle sei guarda sempre la TV. Verso le sette e trenta Liliana prepara la cena. Federica _____ un libro e poi va a dormire verso le nove. Noi _____, leggiamo, _____ la TV e poi verso le undici andiamo a _____.

Livio

Io lavoro al bar «Ore piccole». _____ a lavorare verso le quattro del pomeriggio e la giornata finisce verso mezzanotte. _____ a dormire alle due di notte e _____ verso le dieci la mattina. Abito con Dario e Valerio. Loro _____ in banca e hanno altri orari. _____ alle sette e _____ a casa verso le cinque e mezza la sera. Il lunedì io non lavoro. La sera Dario, Valerio e io _____ qualcosa e poi _____ al cinema.

9 **a** *Completa la tabella con le preposizioni articolate mancanti.*

+	il	l'	la	lo	le	gli	i
da	dal		dalla		dalle		dai
a		all'		allo		agli	

b *Adesso completa le frasi con le preposizioni.*

1 Antonio e Carlo lavorano _____ nove _____ sei _____ lunedì _____ giovedì. Il venerdì finiscono di lavorare _____ tre.

2 Di solito Marinella si alza _____ sei e mezza.

3 I bambini sono a scuola _____ otto _____ una. Il mercoledì fanno sport e tornano _____ quattro e mezza.

4 _____ mezzogiorno _____ una faccio una pausa e mangio qualcosa in un bar.

5 Il sabato e la domenica Gaia e Lorenzo si svegliano _____ undici e mezza.

6 Marco lavora la mattina _____ otto e mezzo _____ mezzogiorno. Fa una pausa _____ una _____ tre e poi studia.

10 *Completa con i pronomi "mi", "ti", "gli", "le", "Le".*

▶ 1 ◆ Signor Fusi, _____ piace la musica classica?

  ● Sì, _____ piace molto.

▶ 2 ▷ Paola, _____ piace guardare la TV?

  ◆ No, preferisco leggere.

▶ 3 ● Signora Bossi, _____ piace andare all'opera?

  ● Sì, _____ piace molto. Venerdì sera, ad esempio, andiamo a vedere "La Traviata".

▶ 4 ● Roberto va al concerto di Eros Ramazzotti a Bologna?

  □ No, Eros non _____ piace per niente. Preferisce la musica techno.

▶ 5 ▷ Karin ama la cucina italiana.

  ◆ Ah sì... Ma _____ piace anche cucinare?

▶ 6 ● Davide va spesso al cinema?

  □ Sì, _____ piace molto. Ama i film di Silvio Soldini.

▶ 7 ● Lorenzo, _____ piace ballare?

  □ No, non _____ piace per niente!

11 *Completa questi due post con le parole della lista a sinistra, come nell'esempio.*

qualche
mai
solito
non
spesso
~~sempre~~
volta
di
spesso

| messaggi |

Nina

Io esco _sempre_ il sabato sera. Di _____ vado a mangiare una pizza e dopo vado in un pub. _____ volta vado a casa di amici e poi guardiamo un film. La domenica pomeriggio faccio _____ una passeggiata in centro e poi torno a casa. Non vado _____ a ballare in discoteca. Non mi piace per niente.

Ronny

Il fine settimana? _____ solito mi alzo molto tardi perché la sera esco sempre! _____ resto mai a casa. Cosa faccio? Beh, mi piace andare in discoteca. Vado _____ al "Tiratardi". Il sabato qualche _____ incontro gli amici in un bar e prendiamo un aperitivo. La domenica preferisco andare al cinema.

12 *Che cosa fanno queste persone nel fine settimana?*
Riordina le parole e forma delle frasi corrette, come nell'esempio.

la serata spesso a casa di amici passiamo

Passiamo spesso la serata a casa di amici./Spesso passiamo la serata a casa di amici.

1 di solito va ballare Daniele il venerdì sera a

_____

2 mai a casa resta non il sabato Marina

_____

3 io con gli amici usciamo e il mio ragazzo qualche volta

_____

4 stiamo noi a casa spesso un film a guardare

_____

5 esco sera la domenica sempre

_____

6 la domenica qualche lavora Sebastiano volta

_____

7 ballare mai in discoteca Francesca a non va

_____

8 Ettore un in pub il passa sera sabato di solito

_____

CD ROM ▶ 18 **13** *Ascolta le interviste. Come passano il fine settimana Sara (35 anni), Nando (28 anni) e Raffaella (42 anni)? Completa la tabella con le informazioni.*

	il venerdì	**il sabato**	**la domenica**
Sara			
Nando			
Raffaella			

14 *Completa le domande con le parole della lista e associale alla risposta corrispondente.*

Di dove
Dove
Chi
Perché
Che cosa
Come

1 _____ gli piace fare la domenica?   **a** Vanno al cinema «Hollywood».

2 _____ vai il sabato sera?   **b** Danila e Federica.

3 _____ passano la serata Marta e Lorella?   **c** Perché ho un amico in Italia.

4 _____ sono Caterina e Giorgio?   **d** Di solito vado a teatro.

5 _____ studi l'italiano?   **e** Resta a casa e legge un libro.

6 _____ esce sempre il lunedì sera?   **f** Di Palermo.

15 *Correggi le frasi, come nell'esempio.*

Io non vado mai a ~~studiare~~ in discoteca.   *Io non vado mai a ballare in discoteca.*

1 La sera Carlo fa colazione in un bar.   _____

2 Alberto legge volentieri un film.   _____

3 Mi piace cominciare la giornata con un letto caldo.   _____

4 Monica mangia il giornale la mattina.   _____

5 Barbara finisce di lavorare alle otto e comincia alle diciassette.   _____

6 Federica e Riccardo bevono volentieri una passeggiata in centro.   _____

7 A Cristina piace fare la serata con gli amici al bar.   _____

8 Marco legge volentieri un aperitivo.   _____

Fonetica

16 **I suoni [kw] e [gw]**

a *Ascolta le parole che contengono il suono [kw] e ripetile.*

quarto quindici quando qualche quaranta cinquanta

b *Ascolta le parole che contengono il suono [gw] e ripetile a voce alta.*

guardare Guido lingua Guatemala

c *Ascolta i minidialoghi e scrivi quello che senti.*
Fai attenzione in particolare ai suoni [kw] e [gw].

1 ● _____ ● _____

2 ● _____ ● _____

3 ● _____ ● _____

4 ● _____ ● _____

17 **La consonante doppia**

a *Ascolta la pronuncia della consonante doppia nelle parole della lista.*

sette ballare passare rappresentante cioccolata fredda pizza
ufficio leggere abbinare immagine doccia panna tramezzino

b *Consonante semplice o doppia? Ascolta la registrazione e inserisci le consonanti mancanti.*

1 ca___a   2 ma___hina   3 co___azione   4 a___ivederci

5 pi___ola   6 profe___ione   7 so___o   8 ro___a

9 corne___o   10 o___andese   11 ca___a   12 ro___a

Dossier

18 **Che cosa fai durante la settimana? E nel fine settimana? Che cosa ti piace o non ti piace fare?**
Scrivi un breve testo sulle tue occupazioni.

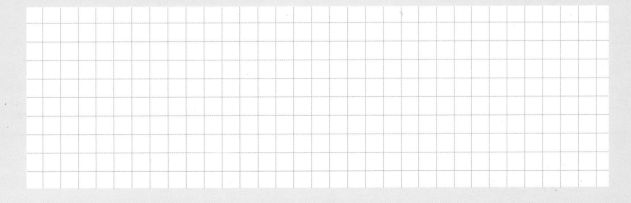

Test Unità 1-4

Segna la risposta corretta con una "X".

1 **Peter è ...... Berlino.**

☐ per ☐ di ☐ in

2 **Penélope è ......, di Madrid.**

☐ spagnole ☐ spagnolo ☐ spagnola

3 **John è ......, di Londra.**

☐ inglese ☐ inglesi ☐ irlandese

4 **Io ...... 45 anni.**

☐ ho ☐ sono ☐ ha

5 **...... il venerdì sera Patrizia esce.**

☐ Mai ☐ Spesso ☐ Non

6 **Luigi prende un'aranciata e mangia due ....**

☐ tramezzino ☐ panini ☐ panino

7 **Il pomeriggio io ...... una passeggiata.**

☐ fa ☐ fai ☐ faccio

8 **A che ora ...... Giacomo?**

☐ si sveglia ☐ mi sveglio ☐ ti svegli

9 **Lorenzo è ...... studente.**

☐ un ☐ uno ☐ un'

10 **Caterina abita ...... Reggio Calabria.**

☐ di ☐ in ☐ a

11 **Buongiorno, ... Anna Maria Fossati. E Lei?**

☐ ti chiami ☐ sei ☐ mi chiamo

12 **Fabio ...... un caffè.**

☐ bere ☐ bevete ☐ beve

13 **Ciao, io sono Simonetta. – ......**

☐ Bene. ☐ Piacere. ☐ Sì.

14 **Ciao, come ......? – Non c'è male.**

☐ sta ☐ vai ☐ stai

15 **Che lavoro fa Mariella?**

☐ È impiegata.
☐ È commesso.
☐ Sono giornalista.

16 **Barbara abita ...... Francia.**

☐ a ☐ di ☐ in

17 **Che ore ......?**

☐ è ☐ sono ☐ sei

18 **Non mi piace ...... lavorare il sabato.**

☐ per niente ☐ non ☐ niente

19 **Sabato sera vado ...... cinema.**

☐ a ☐ in ☐ al

20 **Preferisco ...... yogurt con ...... cereali.**

☐ lo ☐ gli
☐ il ☐ i
☐ l' ☐ le

'ALMA.tv ▶

E ora vai su www.alma.tv nella rubrica
Linguaquiz e prova la tua conoscenza
dell'italiano con i videoquiz a tempo!

Esercizi 5

1 *Forma 9 coppie di opposti con le parole della lista. Scrivi ogni coppia su una riga.*

_____ _____

_____ _____

_____ _____

_____ _____

_____

semplice

freddo   giorno

economico   tardi

finire   dentro

mattina   dolce

     amaro

cominciare   sera

presto   elegante

     caro   notte

fuori   caldo

2 *Formula le domande corrispondenti alle risposte.*

_____ Mi dispiace, il lunedì siamo chiusi.

_____ Per sei persone... Va bene.

_____ No, mi dispiace, fuori è tutto prenotato.

_____ Sì, dalle 12.00 alle 15.00.

_____ Alle nove, un attimo... Sì, va bene.

3 *Segna sulla piantina il percorso che devono seguire le persone indicate nei testi.*

1 Marco esce da scuola e va a destra in via Giolitti, continua sempre dritto, attraversa via Livorno e arriva a un incrocio, va a sinistra e continua dritto fino al numero 83.
2 Fabio e Mariella escono dal cinema Hollywood. Vanno a destra e poi a sinistra in via Genova, attraversano via Dante e vanno dritto fino all'incrocio, girano a destra, vanno dritto fino al numero 25.
3 La signora Polizzi esce dal supermercato e va a sinistra. Attraversa via Genova, via Livorno e via Palermo. Continua dritto, poi gira a destra, abita al numero 7.
4 Giovanni esce dalla biblioteca e va a destra in via Giolitti e poi gira a sinistra in via Livorno. Attraversa corso Roma e via Dante e continua fino al ristorante "Biffi".
5 I signori Barra escono dal ristorante "Biffi", vanno a sinistra e all'incrocio girano a destra in via Genova. Continuano dritto fino al numero 86.

4 *Unisci le parti di destra e sinistra e forma delle frasi o dei minidialoghi corretti.*

1	Senta,	a	non lo so.
2	Sa dov'è la	b	è lontana?
3	Piazza San Carlo	c	dov'è Piazza Castello?
4	La fermata del 53 è	d	Sì, prego.
5	Mi dispiace,	e	scusi!
6	Corso Re Umberto è lontano?	f	fermata del tram?
7	Grazie mille.	g	in Via Garibaldi.
8	Mi scusi, sa	h	Prego, non c'è di che.
9	Le posso chiedere un'informazione?	i	Beh, a piedi sì.

5 *Completa le frasi con le parti mancanti. Aiutati con le immagini.*

1 Allora, Lei _____ dalla banca e _____ .

2 Scusi, _____ ?

3 Continui dritto, _____ via Chiaia e _____ .

4 Lei _____ e poi gira a sinistra.

5 Allora, Marco, tu attraversi via Ramarri _____ piazza Mazzini. Ci vediamo alla fermata dell'autobus.

6 *Inserisci nella tabella le forme coniugate di "sapere" e "potere".*

	sapere	potere
(io)	_____	_____
(tu)	_____	_____
(lui, lei, Lei)	_____	_____
(noi)	_____	_____
(voi)	_____	_____
(loro)	_____	_____

possiamo   sai   sappiamo   so

possono   sapete   può   potete

posso   sa   sanno   puoi

Vai su **www.almaedizioni.it/chiaro** e mettiti alla prova con gli **esercizi on line** della lezione 5.

7 *Inserisci nei minidialoghi le forme coniugate di "sapere" o "potere".*

▶1 ● Senti, _____ dov'è piazza
　　　Carlo Felice?

　　■ Sì, certo. Non è lontano. _____
　　　prendere l'autobus, il numero 96.
　　　Sono quattro fermate.

▶2 ● Ehi, ragazzi, _____ che cosa è la
　　　ribollita?

　　■ Sì, è una zuppa tipica della Toscana.

▶3 ● Scusi... Per andare a Fiesole?

　　■ *(Voi)* _____ prendere l'autobus
　　　numero 7 alla stazione Santa Maria
　　　Novella.

▶4 ● Scusate, _____ dov'è il bar
　　　"Da Gianni"?

　　■ Io non lo _____ , mi dispiace.
　　　Marina, tu _____ dov'è?

　　● Sì, non è lontano. È in via Moncalieri.

▶5 ● Mario, _____ andare a prendere i
　　　bambini a scuola?

　　■ No, non _____ , non ho tempo.
　　　(Tu) _____ chiedere a mia madre?

▶6 ● Mamma, _____ andare a ballare
　　　sabato sera?

　　■ Sì, va bene, ma alle due sei a casa.

8 *Come si chiamano questi piatti? Associa le fotografie ai nomi.*

☐ torta　　☐ bistecca　　☐ pesce　　☐ patatine fritte

☐ insalata　　☐ verdure miste　　☐ minestra　　☐ bruschette　　☐ pollo

9 *"Mi piace" o "mi piacciono"? Riguarda le foto dell'esercizio precedente e scrivi quali piatti ti piacciono o non ti piacciono, come nell'esempio.*

Mi piacciono molto le bruschette. _____

10 *Osserva le immagini e completa i minidialoghi con "grazie" o "prego".*

11 *Completa il seguente dialogo al ristorante con le parole della lista.*

per me | vino | prendete | verdure | di secondo | avete | prendo | bottiglia

● Buongiorno, signori.
■ Buongiorno.
▶ Possiamo ordinare?

● Sì, prego. Da bere, cosa _____ ?

▶ Io vorrei un _____ rosso. Massimo, cosa dici?
■ Mah, io vorrei mangiare il pesce... Prendiamo una bottiglia di vino bianco, va bene?

▶ Ok, un vino bianco. Cosa _____ ?

● Abbiamo un ottimo Gavi, signora, altrimenti Chardonnay, Pinot grigio, Verdicchio, Trebbiano...

■ Proviamo una _____ di Gavi...

● Va bene, e da mangiare, avete già scelto?

▶ Sì, io _____ il risotto al radicchio e poi passo al dolce.

■ E _____ le bruschette... i ravioli alle erbette e _____ il pesce spada.
● E di contorno?

■ Mah... le _____ grigliate, grazie.
● Perfetto.

12 *Due amici si trovano al ristorante "La giostra". Ordinano e pagano.*
Scrivi un dialogo corrispondente allo scontrino a destra.

_____

_____

_____

_____

_____

_____

```
          La giostra
          RISTORANTE

          P.zza Dante
            Napoli
       P.iva 00496540279

                          EURO
Pane-Coperto              3,00
Acqua minerale bott.      1,00
Vino rosso bott.          9,00
Prosciutto e melone       8,00
Penne all'arrabbiata      5,00
Gnocchi al pesto          7,00
Sogliola                 14,00
Verdure miste             3,50
Dolce                     4,00
-------------------------------
TOTALE EURO              54,50
CONTANTE                 60,00
RESTO                     5,50
-------------------------------
28.04.09              13:45
```

13 **a** *Completa i minidialoghi con le espressioni qui sotto.*

anche a me   a me invece sì
mi piace/mi piacciono

neanche a me   a me invece no
non mi piace/non mi piacciono

▶1 ● Ti piacciono gli spinaci?

☺ ■ No, _____ per niente.

☺ ▶ _____. Non mangio verdura.

▶2 ● Mi piace molto il pesce.

☺ ■ _____.

☺ ▶ _____. Preferisco la carne!

▶3 ● _____ per niente la
       porchetta.

☺ ▶ _____. E a te, Eva?

☺ ■ _____. È proprio
       buona.

▶4 ■ Mi piace molto la cucina francese.

☺ ● _____. Mangio
       molto spesso al ristorante «Vecchia
       Marsiglia».

▶5 Perché non prendi il risotto ai frutti
     di mare?

☺ ▶ No, i frutti di mare _____.

b *Adesso ascolta la registrazione e verifica le tue scelte.*

ROM ▶ 24

14 *Completa le frasi con le preposizioni semplici e articolate della lista.*

| da | dall' | a | di | di | a | per | del | per | da | alle | a | alle | a |

1 La partenza _____ tour è _____ 20.00
   _____ piazza Cavour.

2 Non è lontano. Vado _____ piedi.

3 La prenotazione? _____ quando? _____
   venerdì sera?

4 Siete aperti anche _____ pranzo?

5 Cosa prende _____ contorno?

6 Mi alzo _____ sette.

7 Esci _____ albergo e vai _____ sinistra.

8 E _____ bere? Vino bianco o rosso?

9 Grazie _____ Lei.

10 Prego, non c'è _____ che.

Fonetica

CD ROM ▶ 25

15 Intonazione della frase

a *Ascolta le frasi seguenti e ripetile.*

1 Ti piace la cucina italiana.   2 Ti piace la cucina italiana?
3 Francesco lavora a Pisa.   4 Francesco lavora a Pisa?
5 Piazza San Carlo è lontana.   6 Piazza San Carlo è lontana?

CD ROM ▶ 25

b *Riascolta le frasi del punto **15a**. Cerca di capire se alla fine della frase l'intonazione è ascendente
(⟶), o discendente (⟶).*

CD ROM ▶ 25

c *Che cosa hai notato? Quando sale e quando scende l'intonazione?
Ripeti le frasi del punto **15a**, poi riascoltale per verificare.*

CD ROM ▶ 26

d *Affermazione o domanda?
Ascolta le frasi e completale con il punto (.) o con il punto interrogativo (?).*

1 Maria sta bene ____

2 Claudio esce spesso il sabato sera ____

3 Teresa prende un aperitivo ____

4 Paolo studia l'inglese ____

5 Ti piacciono gli spaghetti aglio, olio e peperoncino ____

6 Karin è tedesca ____

7 Giorgia è al bar ____

8 Nina va a casa ____

9 Come, scusi ____

10 Romano mangia al ristorante ____

CD ROM ▶ 26

e *Riascolta le frasi del punto **15d** e ripetile con l'intonazione giusta.*

Dossier

16 Scrivi un SMS a un amico e spiegagli come arrivare a casa tua dalla fermata dell'autobus/della metropolitana/del tram.

17 Vai a mangiare fuori con un amico. Scrivi il vostro dialogo al ristorante.

Esercizi 6

1 *Completa la tabella con i verbi al passato prossimo.*

	pranzare	ricevere	uscire
(io)			
(tu)		hai ricevuto	
(lui)			è uscito
(lei)			è uscita
(noi)	abbiamo pranzato		
(voi)			
(loro) (m.)			
(loro) (f.)			sono uscite

2 *Forma dei participi passati con le parti qui sotto a destra e inseriscili al posto giusto nelle frasi seguenti.*

1 Ieri sera ho _____ un'e-mail da Sabrina.

2 Il mio lavoro ha _____ successo.

3 Domenica pomeriggio Antonella è _____ al cinema con Fiorenza.

4 Nicola e Dario hanno _____ Torino.

5 Hai _____ a Valentina? – No, ancora no.

6 Venerdì sera Monica e Nina sono _____ con i colleghi.

7 Al seminario ho _____ discussioni interessanti.

8 Siamo _____ a bere qualcosa in un locale messicano.

usci   vuto   data   avu   anda   tato   ti   telefo   te   to   nato   senti   visi   an   to   rice

3 *Forma il maggior numero possibile di frasi con un elemento di ogni casella.*

| Domenica
Sabato
Ieri
La settimana | scorso
Sera
pomeriggio
scorsa | Federica e Gabriella sono uscite
ho telefonato
Paola ha guardato
i signori Lorenzi sono andati
abbiamo visitato | un film alla TV
un museo.
a mangiare fuori.
Firenze.
con gli amici.
a Daniela.
a Milano. |

4 *Completa l'e-mail con le forme corrette di "essere" e "avere".*

---

messaggi

Ciao Martina,

come va? Spero bene. Io lavoro tanto. In questo momento sono a Napoli per un congresso. In questi tre giorni _____ ricevuto molte informazioni utili e _____ lavorato con persone italiane e straniere. La prima sera _____ uscita con Matilde e Alessia, due colleghe di Firenze. _____ andate a mangiare la vera pizza napoletana e _____ visitato la città di notte: Napoli è bellissima. Ieri sera, invece, _____ uscita con Steve e Mary. *(Noi)* _____ fatto una passeggiata sul lungomare e poi _____ andati in un bar a bere qualcosa. *(Noi)* _____ parlato in inglese e la serata _____ stata proprio divertente.

Domani torno e ti telefono.

A presto. Daniela

---

5 *Completa le frasi, come nell'esempio.*

Di solito mangio pane, burro e marmellata a casa.

Stamattina, invece, _ho mangiato un toast al bar_ .

1 Ada esce sempre con Valeria.

   Ieri pomeriggio, invece, _____ .

2 Il sabato sera di solito andiamo a mangiare in pizzeria.

   Ieri, invece, _____ .

3 I signori Liguori tornano sempre a casa in macchina.

   Ieri sera, invece, _____ .

4 Gianna e Cristina vanno spesso ai concerti di musica classica.

   Domenica sera, invece, _____ .

5 Normalmente comincio a lavorare alle otto.

   Lunedì mattina, invece, _____ .

con Giusy

in taxi

un toast al bar

in un ristorante cinese

alle dieci

al concerto di Laura Pausini

6 *Sei a un incontro di lavoro. L'ultimo giorno scrivi un'e-mail al tuo responsabile, il Dottor Lanari, per raccontargli quello che hai fatto. Aiutati con le espressioni qui sotto. Fai attenzione alle formule di apertura e chiusura.*

il workshop essere interessante   martedì fare la presentazione

lavorare molto

conoscere nuovi colleghi

ricevere idee utili   ritornare in ufficio giovedì

7 a *Completa le frasi con le parti mancanti.*

una mostra | presentazione di un libro | casa presto
musica e ha ballato un po' | delle persone simpatiche | alla festa di Sandro

		vero	falso
1 Sandro ha conosciuto _____ .		☐	☐
2 Valentina è tornata a _____ .		☐	☐
3 Valentina è andata _____ .		☐	☐
4 Sandro ha visitato _____ .		☐	☐
5 Alla festa Valentina ha ascoltato _____ .		☐	☐
6 La sera Sandro è stato alla _____ .		☐	☐

CD ROM ▶ 27

b *Adesso ascolta la telefonata e indica con una "X" se le frasi del punto **7a** sono vere o false.*

8 *Evidenzia nella griglia (in orizzontale o verticale) 7 participi passati irregolari. Poi scrivili accanto agli infiniti corrispondenti.*

C	O	N	O	S	C	I	U	T	O
S	V	B	Y	C	S	T	Z	P	Q
T	E	C	R	R	N	L	H	P	P
A	Q	G	F	I	P	Z	R	N	R
T	U	F	A	T	T	O	R	N	E
O	U	L	E	T	T	O	S	Z	S
V	I	S	T	O	F	B	V	P	O

participio passato	infinito
_____	prendere
_____	scrivere
_____	essere
_____	fare
_____	conoscere
_____	vedere
_____	leggere

9 *Completa le frasi con i participi passati del punto **8**. Le lettere **evidenziate** formano la parola da inserire nella soluzione.*

1 Giovanna ha ...... un cappuccino al bar.
2 Io sono ...... all'opera con Michela.
3 A Lucca ho ...... mia moglie Federica.
4 Ieri Angela ha ...... un'e-mail a Linda.
5 Lunedì sera Marco e Gianni hanno ......
   i compiti di inglese insieme.
6 Noi abbiamo ...... un film di Gabriele Salvatores.
7 Carlo ha ...... il giornale prima di fare colazione.

Soluzione: il tema della lezione è il

☐☐☐☐☐☐☐ prossimo.

10 *Ecco una pagina del diario di Federica. Completala con i verbi della lista al passato prossimo.*

andare (3) | fare | incontrare | leggere | mandare | prendere | scrivere | tornare

"Ieri mattina _____ il giornale e poi _____ colazione verso le otto e mezza. Alle dieci meno un quarto _____ Maria Grazia e _____ alla Galleria d'Arte Moderna a vedere una mostra. Dopo (io) _____ a casa per riposare un po'. Il pomeriggio _____ un'e-mail a Giulia e poi _____ un sms a Beatrice. Verso le quattro Beatrice è venuta a casa mia e _____ insieme a fare sport. Alle otto Gianni, Mario e io _____ un aperitivo al bar e poi tutti insieme _____ alla festa di compleanno di Emanuele."

11 *Sei un detective privato e hai ricevuto l'incarico di sorvegliare la moglie del signor Solari. Guarda le immagini e scrivi un resoconto di quello che la moglie ha fatto ieri. Cerca di utilizzare le espressioni di tempo seguenti: "pomeriggio", "verso le sette e mezzo", "poi", "prima", "ieri", "mezzanotte", "sera".*

12 *Completa le frasi con "è" o "sono" e la desinenza corretta del participio passato. Poi associa le frasi alle reazioni corrispondenti.*

1 Paola, ti _____ piaciut__ la mostra?

2 Avete visto "Gomorra"*?

3 Le _____ piaciut__ l'ultimo libro di Ammaniti?

4 In questo ristorante cucinano bene!

5 A me la commedia non _____ piaciut__ .

6 Allora, ti _____ piaciut__ le lasagne della nonna?

* "Gomorra" = il film "Gomorra"

a Sì, ieri. Ci _____ piaciut__ molto.

b Sì, bello!

c Eh, certo! Sono il mio piatto preferito!

d A me invece sì.

e Sì, guarda, bellissima!

f Mah, la settimana scorsa ho mangiato i tortellini, ma non mi _____ piaciut__ .

13 *Cerca nella griglia i nomi dei dodici mesi dell'anno e inseriscili sotto accanto ai numeri.*

```
MARZIANOMARZULLOMARZODICERIADICEMBREDICESSI
GIUGNOGIUDICEDIGIUNAREFEBBREFEBBRILEFEBBRAIOAGI
AGOSTOREARGUTONOTTETEMPONOVELLANOVEMBREGE
NEROGENNAROGENNAIOAPRIREAPRILEAPRISCATOLESET
TESETTIMANASETTEMBREMAGICOMAGGIOMAGISTRATO
OTTOMANOOTTUSOOTTOBREGIULIALUGLIOGUGLIAVOGLIO
```

1 _____   2 _____   3 _____   4 _____

5 _____   6 _____   7 _____   8 _____

9 _____   10 _____   11 _____   12 _____

14 *Associa le espressioni alle immagini.*

1 Buona Pasqua!
2 Congratulazioni dottoressa!
  Complimenti per la laurea e auguri per il futuro.
3 Tanti auguri di buon compleanno!
4 Benvenuta Giorgia! Auguri anche a mamma e papà.
5 Buon Natale! Buone feste!
6 Felicitazioni vivissime agli sposi.

Vai su **www.almaedizioni.it/chiaro** e mettiti alla prova con gli **esercizi on line** della lezione 6.

a
b
c
d
e
f

15 *Scrivi una domanda appropriata per ogni risposta. Utilizza gli interrogativi della lista, come nell'esempio.*

| chi | dove | a che ora | a chi | ~~che cosa~~ | con chi | che cosa |

Che cosa hai guardato alla TV?   Un vecchio film.

1 _____ A Martina.

2 _____ Tante persone simpatiche.

3 _____ In pizzeria.

4 _____ Una Coca-Cola®.

5 _____ A mezzanotte.

6 _____ Con Fabio e Dora.

16 *Seleziona la risposta appropriata.*

1	Ti è piaciuta la festa di Simona?	a Mi è piaciuta molto.	b Non le è piaciuta per niente.
2	Di dov'è Carla?	a Carla è di Modena.	b Carla è a Modena.
3	*(Al bar)* Ragazzi... Oggi è il mio compleanno!	a Prendo io!	b Offro io!
4	A che ora avete pranzato?	a A mezzogiorno.	b Alle venti e trenta.
5	Desidera?	a Vorrei prenotare un tavolo per quattro persone.	b Vorrei ordinare un tavolo per quattro persone.
6	Vai spesso a teatro o al cinema?	a Ho visto il film "Il divo".	b No, non vado mai a teatro, però qualche volta vado al cinema.
7	Di solito fai colazione?	a No, vado al ristorante.	b No, non ho tempo.
8	Che cosa hai fatto ieri sera?	a Sei andato al bar.	b Sono stato a casa.

Fonetica

CD ROM ▶ 28

17 I suoni [sk] e [ʃ]

a *Ascolta le frasi seguenti e fai attenzione alla pronuncia delle sillabe* **evidenziate***.*

1. Ho sentito delle di**sc**ussioni interessanti.
2. Ho cono**sc**iuto due colleghe.
3. Sono u**sc**ito con un amico.
4. La settimana **sc**orsa il dottor **Sc**aletti è stato a Bologna.
5. Paola e**sc**e spesso il giovedì sera.

b *Sottolinea il suono [sk] e* (cerchia) *il suono [ʃ] nelle parole della lista.*

esco   usciamo   scambiare   scherzare   riunisce   conoscono   conosce

scusi   pesce   lasciare   scorso   maschere   nascita   maschile

CD ROM ▶ 29

c *Adesso ascolta e verifica le tue scelte al punto* **17b***.*

d *Adesso formula la regola:*

* si pronuncia [sk] quando _____
* si pronuncia [ʃ] quando _____

Dossier

18 Che cosa hai fatto ieri? Scrivi un breve testo sulla tua giornata.

19 Sei stato alla festa di un amico.
Scrivi che cosa ti è piaciuto o non ti è piaciuto della festa.

Esercizi 7

1   a   *Forma il maggior numero possibile di espressioni, come nell'esempio.*

la chitarra		sport
in bici ←		una passeggiata
una festa	**andare**	trekking
a carte	**fare**	a Milano
in giardino	**giocare**	in ufficio
la spesa	**lavorare**	in Spagna
yoga	**leggere**	un annuncio
a calcio	**suonare**	a teatro
un libro	**scrivere**	una pausa
un'e-mail		il giornale

b   *Adesso racconta quali delle attività del punto **1a** svolgi di solito.*

2   *"Giocare" o "suonare"? "Sapere" o "potere"? Inserisci il verbo appropriato.*

▶1   ◆   (Tu) _____ suonare uno strumento?

     ●   Sì, _____ il pianoforte. Mi piace molto.

▶2   ◆   Sara, scusa, ma noi non _____ venire alla mostra oggi pomeriggio.

     ▷   Peccato!

▶3   ◆   Marco, porti la chitarra alla festa di Barbara?

     ●   Guarda che io non _____ suonare bene.

▶4   ◆   Che hobby ha Tiziano?

     ●   La domenica pomeriggio _____ a calcio con gli amici e ogni

        tanto _____ la batteria in un gruppo rock.

▶5   ◆   Sandro, andiamo a correre dopo il lavoro?

     ●   No, mi dispiace. Oggi non _____ , non ho tempo.

▶6   ◆   Marco, Letizia, venite con noi a _____ a tennis?

        Dai, facciamo un bel doppio!

     ●   Sì, volentieri. Quando?

3   *Ascolta le interviste a tre studenti e completa la tabella.*
Indica quali attività svolgono, con quale frequenza e per quale motivo.

	hobby/attività del tempo libero	frequenza	motivazione
Lorenza			
Dario			
Laura			

4 **a** *Completa le frasi con le parole della lista.*

> volta | all' | ogni | giorno | al | volte

1 Alberto telefona alla mamma _____ settimana.

2 Una volta _____ anno il dottor Vespa gioca a golf.

3 Maria e Lisa vanno in palestra due _____ alla settimana.

4 Facciamo la spesa ogni _____ .

5 Una _____ al mese la signora Collina gioca a tennis.

6 Quando viaggio per lavoro mangio qualcosa di caldo solo una volta _____ giorno.

b *Sottolinea tutte le espressioni di tempo nelle frasi del punto **4a**, poi scrivi sei frasi su di te con ogni espressione.*

5 *Forma delle frasi, come nell'esempio.*
Attenzione: in alcuni casi non devi utilizzare la preposizione.

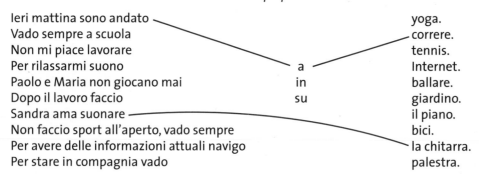

Ieri mattina sono andato   yoga.
Vado sempre a scuola   correre.
Non mi piace lavorare   tennis.
Per rilassarmi suono   a   Internet.
Paolo e Maria non giocano mai   in   ballare.
Dopo il lavoro faccio   su   giardino.
Sandra ama suonare   il piano.
Non faccio sport all'aperto, vado sempre   bici.
Per avere delle informazioni attuali navigo   la chitarra.
Per stare in compagnia vado   palestra.

6 *Ricordi i nomi della frutta e della verdura?*
Guarda le immagini e completa il cruciverba.

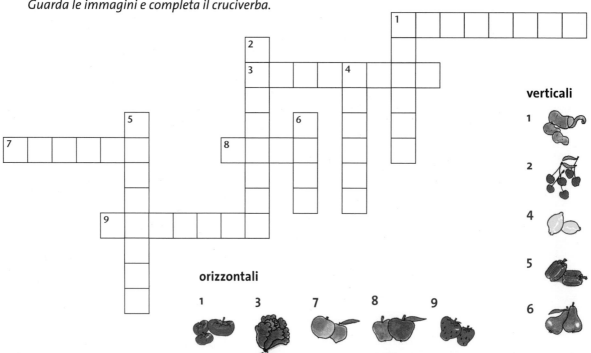

verticali

orizzontali

7   **a**   *In una frutteria: leggi le frasi seguenti e indica se le dice il cliente ("C") o il fruttivendolo ("F").*
Attenzione: alcune frasi non vanno bene né per il cliente, né per il fruttivendolo.

☐ Le ciliegie come sono?   ☐ Sì, grazie. Quant'è?
☐ Qualcos'altro signora?   ☐ Non mi è piaciuta per niente.
☐ Vorrei anche dei pomodori...   ☐ Cosa desidera oggi?
☐ Questi sono proprio interessanti.   ☐ Questi vengono tre euro al chilo.
☐ Ha delle belle mele rosse?   ☐ Quanti ne vuole?
☐ Oggi ho delle fragole molto buone.   ☐ Ne prendo due chili.
☐ Caldo o freddo?   ☐ Sono sei euro e cinquanta.

CD ▶ 31

b   *Adesso ascolta la registrazione e verifica le tue scelte.*

8   *Forma il maggior numero possibile di coppie di parole (cibo + colore), come nell'esempio.*

| le fragole | il vino | i peperoni | i pomodori | l'insalata | i limoni |
| la mela | la susina | il radicchio | i mirtilli | la banana |

```
_____                _____
  _____
            ( rosso )    il vino rosso
  _____
                _____
          _____
                              ( giallo )
_____
                                        _____
    ( blu )
                        ( bianco )
_____
            _____           _____
              ( verde )
    _____        _____
```

9   *Fausto ha partecipato a un programma radiofonico. Ha scritto il testo seguente per il sito della radio.*
Completa il testo con le desinenze corrette degli aggettivi.

"Buongiorno a tutti! Sono Fausto. Cosa mi piace fare? Mi piacciono le attività rilassant___ e tranquill___.

Io non sono assolutamente un tipo sportiv___. Faccio delle bell___ passeggiate con i miei cani e ho un

hobby molto semplic___: la cucina. Faccio la spesa al mercato. Uso solo ingredienti fresch___ e preparo

delle ricette delizios___! Ho spesso ospiti a cena e secondo i miei ospiti i miei piatti sono così buon___!

Qualche volta vado anche a mangiare fuori con gli amici. Di solito scegliamo i ristoranti elegant___ e

molto particolar___ della nostra città."

10 *Completa con le espressioni appropriate, come nell'esempio.*

Vorrei...

_____del_____ formaggio.

_____ limoni.

_____ arance.

_____ carne.

_____ zucchini.

_____ insalata.

_____ pane.

_____ uova.

Vorrei...

_____un litro_____ di latte.

_____ di olio.

_____ di patate.

_____ di marmellata.

_____ di spaghetti.

_____ di zucchero.

_____ di prosciutto.

_____ di pane.

11 *Stasera Barbara e Stefano hanno ospiti. Cercano di capire se hanno tutto il necessario per la cena. Inserisci nel dialogo le parole e le espressioni della lista.*

> bottiglia | ne | mezzo | del | chilo | lattine | di | pomodori | dei

◆ Hai preso tutto per la cena di stasera?

● Sì, penso di sì.

◆ Hai comprato la frutta per la macedonia?

● Sì, ho preso un _____ di mele, _____ chilo di fragole,

   due etti _____ mirtilli e _____ limoni.

◆ Perfetto. E di verdura, cosa hai preso?

   Vorrei preparare la ratatouille per la ragazza di Lorenzo che è francese.

● Certo, non ho dimenticato niente: zucchini, _____ , melanzane e peperoni.

◆ E le cipolle?

● _____ ho comprato mezzo chilo.

◆ E la carne da fare alla griglia?

● Oh no! Vado subito...

◆ E il vino?

● Barbara, abbiamo ancora tre ore di tempo, calma... Allora, prendo

   ancora una _____ di vino, _____ pane, la carne da fare

   alla griglia e due _____ di birra per Lorenzo che non beve vino.

◆ Eh bravo, così abbiamo tutto... forse...

> Vai su **www.almaedizioni.it/chiaro**
> e mettiti alla prova con gli **esercizi on line**
> della lezione 7.

12 *Associa le domande alle risposte appropriate.*

1 Mangi spesso la carne?
2 Prendi l'autobus per andare al lavoro?
3 Piero, porti tu i bambini a scuola?
4 Bevi il whisky?
5 Quando fai gli esercizi di francese?
6 Hai letto il giornale?
7 Compri delle lattine di birra, per favore?
8 Ti piacciono le bruschette?

a Sì, lo prendo tutte le mattine alle otto.
b Sì, quante ne prendo?
c Li faccio oggi pomeriggio.
d No, lo leggo più tardi.
e Sì, le mangio molto volentieri.
f No, non la mangio quasi mai.
g No, non lo bevo. Non mi piace per niente.
h Sì, li porto io.

13 *Inserisci le desinenze corrette di "quanto".*

▶1 ● Signora, cosa desidera oggi?

◆ Vorrei del prosciutto.

● Sì, quant___?

▶2 ◆ Vorrei dei panini.

● Quant___ ne vuole?

▶3 ◆ Vorrei della mortadella.

● Quant___ ne vuole?

▶4 ◆ Vorrei delle pere.

● Sì, quant___?

▶5 ◆ Quant___ vengono i mirtilli?

● 4 euro all'etto.

14 *Completa con "lo", "la", "li", "le" o "ne".*

▶1 ● Buongiorno. Ha la ricotta?

◆ _____ vuole fresca o stagionata?

▶2 ◆ Quanto vengono le mele?

● _____ vuole rosse o gialle?

▶3 ● Vorrei tre panini.

◆ Come _____ vuole?

▶4 ● Vorrei del parmigiano.

◆ Senta, _____ vuole fresco?

▶5 ◆ Vorrei dei pomodori.

● Quanti _____ vuole?

15 *Vai a fare la spesa. Ti servono: un chilo di uva bianca, un etto di mirtilli e mezzo chilo di fichi.*
Scrivi un dialogo.

16 *Che cosa dici in queste situazioni? Scegli l'espressione appropriata.*

Tanti auguri! | Quant'è? | Vorrei...
Quanto viene/vengono...? | Senta, scusi!

1 Sei in un negozio e vuoi chiedere il prezzo di un prodotto: _____

2 È il compleanno o l'onomastico di qualcuno: _____

3 Sei al bar e vuoi ordinare qualcosa: _____

4 Vuoi attirare l'attenzione di qualcuno: _____

5 Vuoi pagare: _____

Fonetica

CD ROM ▶ 32

17 I suoni [ʎ] e [ɲ]

a *Ascolta il dialogo e ripeti le battute. Fai attenzione alla pronuncia dei suoni [ʎ] e [ɲ] evidenziati.*

- ● Buonasera, signori.
- ◆ Buonasera.
- ■ Io prendo le tagliatelle alla bolognese, e tu?
- ◆ Per me la sogliola.
- ● Va bene, cosa vi porto da bere?

- ■ Una bottiglia di vino bianco, per favore.
- ● Prendete il dolce?
- ◆ Sì, per me le fragole con il gelato alla vaniglia.
- ■ Io prendo un caffè e un cognac.

CD ROM ▶ 33

b *Indica con una "X" quale suono senti.*

	1	2	3	4	5	6
[ʎ]	☐	☐	☐	☐	☐	☐
[ɲ]	☐	☐	☐	☐	☐	☐

CD ROM ▶ 34

c *Ascolta le frasi e completa con le parole o le lettere mancanti.*

1 Faccio sport o____ giorno.

2 Chi compra ____ spaghetti?

3 Vado al mare in giu____ o in lu____o. Non so ancora.

4 Hai comprato l'a____o?

5 Mi piace stare in compa____a.

Dossier

18 Vuoi iscriverti a un social network (per es. Facebook). Prepara il tuo profilo.
Descrivi soprattutto le tue attività nel tempo libero e i tuoi hobby.

19 Sei stato molto impegnato nel fine settimana e non hai avuto il tempo di fare la spesa.
Oggi è sabato e devi fare provviste. Scrivi una lista della spesa dettagliata.

Test Unità 5-7

Segna la risposta corretta con una "X".

1 ● Fate i tramezzini caldi?
■ Sì, ... facciamo.

☐ lo   ☐ li   ☐ la

2 Non ...... andare in piscina perché ho poco tempo.

☐ posso   ☐ so   ☐ puoi

3 Non ...... la carne. – ...... a me.

☐ mi piacciono   ☐ Invece
☐ mi piace   ☐ Anche
☐ piace   ☐ Neanche

4 Il pesce ...... piace molto.

☐ lei   ☐ la   ☐ le

5 Andiamo ...... piedi o ...... autobus?

☐ in   ☐ in
☐ a   ☐ a
☐ al   ☐ con

6 Vorrei prenotare un tavolo ...... sei persone.

☐ da   ☐ di   ☐ per

7 Prendo un pacco ...... spaghetti.

☐ di   ☐ con   ☐ per

8 Che belle pesche! ...... prendo un chilo.

☐ Le   ☐ lo   ☐ Ne

9 Io lavoro ...... otto ...... una.

☐ da   ☐ a
☐ dall'   ☐ all'
☐ dalle   ☐ alle

10 Che cosa prendete ...... bere?

☐ per   ☐ da   ☐ a

11 In questi giorni ...... lavorato molto.

☐ siamo   ☐ possiamo   ☐ abbiamo

12 Paola e Ada sono ...... al ristorante.

☐ andate   ☐ andata   ☐ andato

13 Vorrei ...... banane.

☐ delle   ☐ un chilo   ☐ di

14 Claudio ...... suonare la chitarra e il pianoforte.

☐ può   ☐ so   ☐ sa

15 Renato va ...... palestra due volte ...... settimana.

☐ in   ☐ a
☐ alla   ☐ al
☐ in   ☐ alla

16 Non compro mai i peperoni ....

☐ verdi   ☐ verde   ☐ rosso

17 Quanto ...... le pere?

☐ viene   ☐ fa   ☐ vengono

18 Giri ...... e poi arrivi a un incrocio.

☐ destra   ☐ dritto   ☐ a destra

19 Ti sono ...... i regali?

☐ piaciuto   ☐ piaciute   ☐ piaciuti

20 Giulia ha ...... un'e-mail a Sandra.

☐ scritta   ☐ fatto   ☐ scritto

'ALMA.tv ▶

E adesso vai su www.alma.tv nella rubrica *Linguaquiz* e mettiti alla prova con i videoquiz a tempo. Ti bastano solo 30 secondi!

Esercizi 8

1 *Forma coppie di opposti.*

antico	noioso
bello	economico
tranquillo	vicino
interessante	elegante
grande	moderno
semplice	brutto
lontano	silenzioso
caro	piccolo
rumoroso	vivace

_____ _____

_____ _____

_____ _____

_____ _____

_____ _____

_____ _____

_____ _____

_____ _____

_____ _____

2 **a** *Aggettivi in "-ca" e "-co".*
Forma delle frasi, come nell'esempio.

A Firenze — c'è / ci sono — un / dei / delle / degli / una — trattoria / albergo / trattorie / edifici / piazza / ristorante / ristoranti — antichi. / antica. / economico. / economici. / tipici. / tipiche. / tipica.

b *Adesso completa la regola:*

• gli aggettivi che terminano in **-ca** hanno il plurale in _____

• gli aggettivi che terminano in **-co** hanno il plurale in _____ quando hanno l'accento
  sulla penultima sillaba, e in _____ quando hanno l'accento sulla terz'ultima sillaba

3 *Davide descrive la città dove abita a un amico conosciuto in un forum su Internet.*
Completa il testo con la desinenza degli aggettivi.

«Abito in un quartiere tranquill___ e silenzios___ in periferia. Le case sono nuov___, c'è molto verde e
ci sono anche dei negozi molto bell___. Sono impiegato e lavoro in un ufficio nella zona industrial___.
Lì gli edifici sono grand___ e modern___, ma la zona è rumoros___ perché c'è traffico. Dopo il lavoro esco
con gli amici. Mi piace molto andare nel centro storic___. Amo le case antic___, le strade tranquill___ e
l'atmosfera tipic___ e vivac___ delle piazze grand___ e piccol___. Non mi piacciono però le lung___ code
di turisti davanti ai monumenti antic___ e ai ristoranti tipic___.»

CD ROM ▶ 35 **4** *Ascolta le descrizioni delle città. Segna le caratteristiche di Stresa e di Lucca con una "X".*

	A Stresa:	A Lucca:		A Stresa:	A Lucca:
ci sono molti alberghi.	☐	☐	c'è un Duomo con una facciata stupenda.	☐	☐
c'è una bellissima chiesa in stile neoclassico.	☐	☐	ci sono delle mura antiche.	☐	☐
ci sono molte trattorie tipiche.	☐	☐	c'è un parco ricco di piante e animali.	☐	☐
c'è un lago.	☐	☐	ci sono dei negozi di antiquariato.	☐	☐

5 *Hai chiesto informazioni su Verona in un forum su Internet.*
Marco ti ha risposto. Completa la sua risposta con "c'è" o "ci sono".

---

messaggi

Marco

Vai subito in centro, _____ delle bellissime piazze: piazza Bra e piazza delle Erbe.

Inoltre _____ l'Arena e _____ moltissime chiese e basiliche: il Duomo,

Sant'Anastasia, San Fermo. Poi _____ tanti musei. Ti consiglio di vedere le vie

centrali molto caratteristiche... e poi _____ la casa di Giulietta con il balcone...

Anche in provincia _____ molte cose da vedere. Puoi andare al Lago di Garda e

visitare Sirmione: lì _____ le terme, le Grotte di Catullo e _____ il Castello

Scaligero, oppure vai in Valpolicella dove _____ molte osterie per gustare il vino

locale!

Buon soggiorno nella mia città! Ciao

---

6 *"C'è/ci sono" o "è/sono"? Completa i minidialoghi.*

▶1 ◆ Mario, dov' _____ il giornale?
  ● In cucina.

▶2 ◆ _____ molti negozi a Ferrara?
  ● Mah, guarda, _____ pochi negozi piccoli, ma molti supermercati.

▶3 ◆ Maddalena, dove _____ i DVD che ho comprato ieri?
  ● _____ in macchina. Li prendi tu?

▶4 ◆ Mi scusi, _____ una farmacia qui vicino?
  ● Sì, non _____ lontano. _____ là, vede? Vicino alla scuola.

▶5 ◆ _____ traffico a Ferrara?
  ● No, non molto, perché tutti girano in bicicletta.

▶6 ◆ Com' _____ la zona dove abita Bruno?
  ● Guarda, _____ proprio un brutto quartiere, non _____ un cinema, non _____ negozi, non _____ niente.

7 *Quali negozi, edifici e costruzioni ci sono in una città?*
Completa il cruciverba con le lettere mancanti.

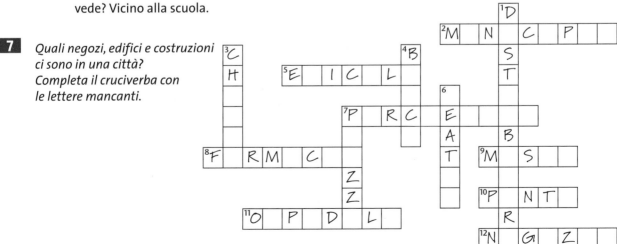

8 *Associa le azioni ai luoghi.*

1 spedire una lettera
2 comprare un'aspirina
3 fare la spesa
4 fare sport
5 parcheggiare la macchina
6 visitare una mostra
7 prendere il treno
8 vedere una partita di calcio

a in un negozio/al supermercato
b in un museo
c all'ufficio postale
d alla stazione
e allo stadio
f in farmacia
g in palestra
h al parcheggio

Vai su
www.almaedizioni.it/chiaro
e mettiti alla prova con
gli **esercizi on line**
della lezione 8.

9 *Trasforma le frasi, come nell'esempio.*

1 Lo stadio è in pieno centro. → *In pieno centro c'è lo stadio.*

2 Vicino a casa mia c'è la banca. → _____

3 La chiesa è nel centro storico. → _____

4 Vicino alla piazza ci sono due supermercati. → _____

5 Accanto alla posta c'è il ristorante "Il veliero". → _____

10 *In quale punto della piantina si trovano i luoghi indicati nelle frasi?*
Leggi le indicazioni e scrivi i nomi dei luoghi sulle righe corrispondenti. Tu sei di fronte al teatro.

1 L'edicola è di fronte al teatro.
2 La scuola è a destra, accanto all'edicola.
3 A destra, accanto al teatro, c'è la banca.

4 Dietro al teatro, a sinistra, c'è l'albergo.
5 Davanti alla scuola c'è la fermata del tram.
6 A sinistra, vicino all'edicola, c'è il parcheggio.

11 *Completa le frasi con le parole della lista.*

l' | all' | di | il | al | fra | al | dietro | la

1 La pizzeria è accanto _____ ufficio postale.

2 _____ fronte alla scuola c'è un'edicola.

3 La fermata del tram è davanti _____
negozio di frutta e verdura.

4 Il supermercato è _____ il cinema e il bar.

5 _____ la banca c'è un parcheggio.

6 La chiesa è accanto _____ municipio.

7 Fra _____ stazione e _____
parcheggio c'è l'edicola.

8 Il museo è dietro _____ ospedale.

12 *Guarda le immagini e scrivi dov'è Marina.*

1 _____

2 _____

3 _____

4 _____

5 _____

6 _____

13 *Sabrina vuole organizzare una festa per inaugurare la sua nuova casa.*
Scrive un messaggio per invitare gli amici. Completalo con le parole della lista.

vedere | simpatici | perché non | trovato | festa
interessante | appartamento | vecchi | carina | dai

«Cari amici,

scusate, sono a Padova da due mesi e non ho ancora _____ il tempo di scrivervi!

Il nuovo lavoro è molto _____ e i colleghi sono veramente _____ .

Padova è una cittadina proprio _____ e tranquilla con molte cose da _____ .

Fra due settimane vorrei fare una grande _____ per inaugurare il nuovo _____

e salutare i nuovi e i _____ amici. _____ venite a trovarmi e rimanete per

tutto il fine settimana? _____ , vi aspetto! Così potete anche visitare

la città.

Un abbraccio
Sabrina»

14 *Completa le frasi con i verbi "venire", "volere", "fare", "bere", "sapere" al presente .*

1 Marco e Piero _____ suonare la chitarra e il pianoforte. Che bravi!

2 *(Voi)* _____ ancora un bicchiere di vino?

3 Marzia, _____ a giocare a tennis sabato?

4 Perché non *(noi)* _____ un aperitivo al bar "Quattroassi"?

5 *(Tu)* _____ ancora un po' di dolce? Dai! È così buono!

6 Che cosa _____ la signora Frattino? È insegnante? Lo *(tu)* _____ ?

7 *(Voi)* _____ con noi a teatro? *(Noi)* _____ vedere una commedia musicale.

8 *(Noi)* _____ un giro in centro. *(Tu)* _____ anche tu?

15 *Il Comune di Roma vuole realizzare un sondaggio tra i cittadini sul tema dei trasporti pubblici. Ascolta le interviste e completa la tabella.*

	mezzo di trasporto usato	motivazione
1ª persona		
2ª persona		
3ª persona		

16 *Quale mezzo di trasporto utilizzano queste persone? Forma delle frasi.*

1 Quando esco dalla discoteca ed è tardi
2 Non abito in città e per andare al lavoro in centro
3 Nelle grandi città come Roma e Milano preferisco
4 La domenica mi piace fare un po' di movimento e quindi
5 Io non amo viaggiare con i mezzi pubblici
6 Vado in ufficio in autobus perché

a girare in metropolitana per andare da un posto all'altro.
b vado a piedi o prendo la macchina.
c prendo un taxi per tornare a casa.
d non ho la macchina e non mi piace andare in bicicletta.
e ogni mattina prendo la corriera alle otto e dieci.
f faccio spesso una gita in bicicletta con gli amici.

17 *In giro per Ferrara. Completa il testo con i verbi della lista all'infinito.*

| raggiungere | voltare | ritornare | arrivare | oltrepassare | prendere |

Dal centro _____ l'autobus n. 2 (fermata del Castello) e raggiungere, in via XX Settembre 124, il Palazzo Costabili detto di Ludovico il Moro, sede del Museo Archeologico Nazionale.

_____ a piedi il monastero di S. Antonio in Polesine in vicolo del Gambone. Ritornare poi in via XX Settembre dove si trovano la casa di Biagio Rossetti e l'antica Porta Romana. Da qui _____ a destra in via Porta Romana, _____ il ponte sul Po di Volano e _____ fino all'antica cattedrale di Ferrara, la chiesa di S. Giorgio. _____ in centro con l'autobus n. 6 (fermata di fronte al piazzale di S. Giorgio).

18 *Che cosa dici in queste situazioni? Scegli la frase appropriata.*

| Dai! | Grazie per la lettera/l'e-mail. | Perché non vieni sabato prossimo? |
| Ecco. | Che numero hai? | Perché non vieni a trovarmi? |

1 Vuoi sapere il numero di telefono di qualcuno: _____

2 Vuoi ringraziare qualcuno che ti ha scritto: _____

3 Vuoi invitare qualcuno a casa tua: _____

4 Dai qualcosa a qualcuno: _____

5 Vuoi convincere qualcuno a fare qualcosa: _____

6 Vuoi invitare qualcuno in un giorno preciso: _____

Fonetica

19 L'accento

a *Ascolta le parole e <u>sottolinea</u> la vocale accentata.*

perché   mangio   bicicletta   patate   ordinano   viaggio

telefono   mattina   martedì   Maria   pomodori   essere

città   lasciare   Lazio   prendere   ventitré   abbiamo   offro

b *Adesso inserisci le parole del punto* **19a** *sulla riga giusta, come negli esempi.*

Parole accentate sull'ultima sillaba:

perché

Parole accentate sulla penultima sillaba:

patate

Parole accentate su un'altra sillaba:

ordinano

c *Scrivi le parole che senti ed* **evidenzia** *la vocale accentata.*

1 _____   4 _____

2 _____   5 _____

3 _____   6 _____

8

Dossier

20 **Vuoi invitare un amico nella tua città.**
Scrivigli una lettera e spiega perché secondo te è una città interessante: che cosa c'è da vedere e da fare?

Esercizi 9

1 Associa ogni parola a un'immagine.

il giardino ☐
la finestra ☐
le scale ☐
l'appartamento ☐
l'ingresso ☐
la porta ☐
il cortile ☐
la villetta ☐

2 Completa le frasi con gli aggettivi della lista.

antipatico | anziano | chiuso | giovane | saporito | piacevole | simpatico
tranquillo | vivace | carino | contento | piccolo | grande | bello
brutto | nuovo | antico | rumoroso | moderno | silenzioso | fresco
noioso | stagionato | sportivo | buono | interessante | aperto

Trova...

tre aggettivi per descrivere il quartiere dove abiti: _____

tre aggettivi per descrivere il tuo appartamento: _____

tre aggettivi per descrivere un formaggio: _____

tre aggettivi per descrivere il tuo lavoro: _____

tre aggettivi per descrivere un tuo vicino di casa: _____

tre aggettivi per descrivere un tuo amico: _____

CD ROM ▶ 39

3 Ascolta due amiche che parlano a una festa.
Scrivi gli aggettivi che utilizzano per descrivere le due persone indicate qui sotto.

Gianni	Daniele

4 Completa con i possessivi, come nell'esempio.

io	_la mia_ casa	_____ nome	_le mie_ vicine	_____ amici
tu	_____ chitarra	_il tuo_ regalo	_____ colleghe	_i tuoi_ colleghi
lui, lei, Lei	_____ famiglia	_____ libro	_____ amiche	_____ giornali
noi	_____ scuola	_____ giardino	_____ torte	_____ tavoli
voi	_____ città	_____ appartamento	_____ biciclette	_____ panini
loro	_____ macchina	_____ lavoro	_____ professioni	_____ insegnanti

5 *Completa con "suo" e "loro". Fai attenzione all'articolo.*

1 Antonella è andata a teatro con _____ amica di Firenze.

2 Mario e Isabella non abitano più in via Nizza. _____ nuovo indirizzo è
via Genova, 6.

3 Massimo e Piero sono venuti a casa mia con _____ amici.

4 Daniela è stata a Venezia con _____ colleghe.

5 Bruno e Daniele hanno cambiato lavoro. _____ nuove professioni sono
molto interessanti.

6 Signora Pastore, Le piace _____ nuovo appartamento?

6 *Completa con i possessivi.*

1 Marina, mi presenti _____ amica?

2 Sandro e Monica sono stati a Roma con _____ compagni di scuola.

3 Ieri siamo andati a vedere un film in inglese con _____ insegnante.
È un tipo proprio simpatico.

4 Viviana, Loretta, come si chiama _____ nuova collega di Napoli?

5 Gianni ha organizzato una festa per _____ compleanno. Vieni anche tu?

6 Ho fatto una lunga passeggiata in centro con _____ amiche.
Abbiamo parlato per ore.

7 a *Leggi il testo seguente e poi segna le frasi corrette con una "X".*

I vicini di casa

I vicini di casa si limitano spesso ad un semplice «buongiorno» e «buonasera» detto per le
scale. Ma una villetta multifamiliare, un palazzo, delle case che si affacciano su un grande
cortile sono un insieme di persone che convivono e condividono gli stessi spazi comuni. La
vicinanza «geografica» può essere un aiuto, solidarietà e comprensione. Sono tante le ami-
cizie – a volte persino gli amori – che nascono tra vicini di casa: è bello ogni tanto ritrovarsi
insieme a cena a casa o in terrazza da qualcuno; sapere di poter lasciare i figli una mezz'ora
a quella signora anziana e tanto sola, fare in cambio anche per lei un po' di spesa; dare il
gatto, le piante, le chiavi della posta a chi resta mentre un altro va via per le vacanze estive.

(adattato da *www.festadeivicinidicasa.it*)

1 a ☐ I vicini si salutano per le scale.
  b ☐ I vicini parlano degli altri vicini per le scale.

2 a ☐ Un vicino di casa può diventare un amico.
  b ☐ Un vicino di casa non può diventare un amico.

3 Che cosa puoi chiedere a un vicino
di casa?
  a ☐ Di stare con i bambini.
  b ☐ Di prendere la posta.
  c ☐ Di tenere un animale domestico.
  d ☐ Di cucinare.
  e ☐ Di innaffiare le piante.
  f ☐ Di andare all'ufficio postale.

b *E tu vai d'accordo con i tuoi vicini?*
Descrivine uno.

8 *Descrivi queste tre persone.*

1 _____
  _____
  _____

2 _____
  _____
  _____

3 _____
  _____
  _____

1   2   3

9 *Completa questo cruciverba "famigliare".*

orizzontali
1 Marito e...
5 Carla e Roberto sono sposati e hanno una...
6 Il padre di mia madre.
8 La madre e il padre.

verticali
1 Moglie e...
2 Io ho una sorella e due...
3 Il figlio di mio figlio.
4 Il figlio di mia zia.
7 La sorella di mio padre.

CD ROM ▶ 40 **10** *Ascolta e completa l'albero genealogico di questa famiglia italiana con i nomi dei suoi componenti, come nell'esempio.*

Sara

11 *Associa le parole della lista al possessivo corrispondente.*

> regali | zio | sorella | bicicletta | genitori | casa | cane
> madre | cugina | giardino | numero di telefono | nonno

tuo

il loro

il tuo

la sua

i vostri

sua

12 *Completa il dialogo del punto* **10** *con i possessivi della lista.*

> i tuoi | mia | i tuoi | i nostri | la mia | mia | mio | i tuoi | i miei | mio

◆ Sara, mi parli della tua famiglia?

● Sì, _____ famiglia è piccola, ma siamo molto uniti, ci vediamo molto spesso.

◆ Hai dei fratelli?

● Ho un fratello che si chiama Dario. Ha 18 anni e frequenta il liceo.

  È molto alto, simpatico e suona in un gruppo rock.

◆ E tu vivi ancora con _____ genitori?

● No, io studio Psicologia all'Università di Padova e torno a casa solo per il fine settimana.

◆ Dove abitano _____ genitori?

● Abitano a Cremona e si chiamano Luciana e Renato. Tutti e due sono insegnanti.

  _____ madre lavora in una scuola elementare e _____ padre insegna chimica.

◆ Hai altri parenti?

● Sì, _____ madre ha un fratello che si chiama Diego. È sposato con Maria Grazia e hanno un

  figlio piccolo: Matteo. _____ zii lavorano e i nonni si devono occupare di _____ cugino.

◆ Allora _____ nonni sono ancora giovani?

● Sì, sono molto simpatici e sono contenti di avere tre nipoti. La domenica nonna Clara ci invita

  tutti a pranzo e cucina _____ piatti preferiti per farci piacere.

13 *Inserisci l'articolo determinativo quando è necessario.*

1 La scorsa settimana sono andata a teatro e lì ho incontrato _____ tuoi genitori. Sono proprio simpatici. _____ tuo padre è molto gentile e _____ tua madre è veramente una donna piacevole.

2 Il ragazzo moro è _____ mio fratello. Raffaella, la ragazza bionda vicino a lui, è _____ sua compagna di scuola.

3 Sandra, come sta _____ tua cugina Paola? E _____ suoi genitori?

4 _____ mio quartiere è tranquillo e _____ miei vicini sono persone aperte.

5 _____ mio marito lavora dalla mattina alla sera. _____ suo capo è un tipo proprio noioso e antipatico.

6 Ieri siamo andati da _____ mia zia. Lei abita con _____ suo figlio, _____ mio cugino Valerio. _____ loro appartamento è in un bel palazzo in centro.

14 *Completa le frasi con le forme corrette di "questo" e "quello".*

1 Mamma, _____ bicicletta è brutta e vecchia... Ne compriamo una nuova, blu come _____ di Giorgio?

2 I ristoranti in centro sono troppo cari. Preferisco _____ della mia zona.

3 _____ biscotti sono buoni, ma _____ di nonna Teresa sono proprio deliziosi!

4 Io abito nella casa bianca a destra. In _____ rosa, a sinistra, abitano Vale e Beppe.

5 _____ bar non mi piace proprio. C'è troppo rumore, preferisco _____ di piazza Carducci.

6 Mi piacciono molto le mele gialle. _____ rosse non le compro mai.

Vai su **www.almaedizioni.it/chiaro** e mettiti alla prova con gli **esercizi on line** della lezione 9.

Fonetica

15 **L'intonazione della frase**

a *Ascolta le frasi con attenzione. Quali parole si pronunciano "unite", senza pause?*
Uniscile come nell'esempio. Poi riascolta e ripeti le frasi.

Lucia non è venuta a scuola.

1 L'amica di Sara non è venuta al corso di inglese.

2 Nell'ingresso della casa di Fausto c'è una bella pianta.

3 Faccio una pausa dall'una all'una e quarantacinque.

4 Gigi è andato al mare per una settimana.

5 Ho letto un libro di Alessandro Baricco.

6 Marco non è impiegato, è farmacista.

7 Non ho ancora telefonato a Susanna.

b *Adesso rispondi alle domande seguenti:*

nelle frasi 1, 2 e 3 c'è una pausa tra la parola prima e la parola dopo l'apostrofo?

_____

Nelle frasi 4 e 5 quali parole si pronunciano "unite"?

_____

Nelle frasi 6 e 7 come si pronunciano i gruppi di parole "non è" e "non ho"? Si sente che ci sono due

parole?

_____

Dossier

16 Descrivi una persona che conosci bene, per esempio un amico o un vicino.

17 Disegna il tuo albero genealogico e fornisci alcune informazioni per ogni membro della famiglia
(professione, città di residenza, situazione familiare, aspetto, ecc.).

Esercizi 10

1   **a** *Leggi le frasi seguenti e completa le regole sotto.*

Giovanni ha comprato dei succhi di frutta.
Sara e Alberto amano i luoghi tranquilli.
Marcello e Sabrina sono medici.
Ieri ho cucinato il risotto con gli asparagi.

- gli aggettivi e i sostantivi che terminano in **-co** e **-go** hanno il plurale in _____ e in **-ghi**,
  se hanno l'accento sulla penultima sillaba (es. s<u>u</u>cchi, lu<u>o</u>ghi)

- gli aggettivi e i sostantivi che terminano in **-co** e **-go** hanno il plurale in **-ci** e _____ ,
  se hanno l'accento sulla terz'ultima sillaba (es. m<u>e</u>dici, asp<u>a</u>ragi)

b *Adesso completa con le desinenze singolari o plurali delle parole.*

1   A Lucca ho mangiato in molti locali tipic___ .

2   Gli alberg___ di Venezia non sono molto economic___ .

3   Io preferisco i formaggi fresc___ , e tu?

4   Franz e Peter sono austriac___ , di Vienna.

5   Mi piacciono molto gli asparag___ .

6   La piazza è il luog___ d'incontro della nostra città.

7   Nel centro storic___ di Trento potete scoprire le tradizioni della zona.

8   In vacanza abbiamo visitato due parc___ naturali.

9   Ti piace il succ___ di mela?

10   Nel mio quartiere ci sono dei palazzi antic___ .

11   Marina ha i capelli lung___ .

2   **a** *Ascolta il dialogo e segna con una "X" i numeri che senti.*

800 ☐   145 ☐   110 ☐   380 ☐   275 ☐   154 ☐   140 ☐   808 ☐   454 ☐   680 ☐

b *Adesso scrivi in lettere i numeri che hai sentito.*

1 _____

2 _____

3 _____

4 _____

5 _____

3   Che cosa trovi in un albergo?
Associa le parole alle immagini.

a bagno con vasca   **f** parcheggio
b bagno con doccia   **g** piscina
c camera singola   **h** palestra
d camera doppia   **i** pagamento con
e collegamento   carta di credito
    Internet

4 **a** *La signora Santarelli vuole prenotare una camera d'albergo al telefono.*
Forma le sue domande.

1 Si può prendere   a arrivederci!
2 La ringrazio,   b un'area benessere?
3 È compresa   c la pensione completa?
4 Buongiorno, mi chiamo Cristina Santarelli,   d la camera?
5 Avete   e la prima colazione?
6 Come posso fare   f avete una camera singola libera dal 4 al 12 aprile?
7 Quanto viene   g per prenotare?

b *Adesso completa la conversazione telefonica con le domande del punto 4a.*

◆ "Hotel Fini", buongiorno.

● _____

◆ Sì, un momento, controllo... Sì, abbiamo una singola libera.

● _____

◆ 85 euro a notte.

● _____

◆ Sì, la classica colazione continentale a buffet.

● _____

◆ No, mi dispiace, offriamo soltanto la mezza pensione.

● _____

◆ Certo, abbiamo anche la piscina e una palestra molto attrezzata.

● _____

◆ Può andare sul nostro sito Internet e compilare il modulo, oppure manda un fax.

● _____

◆ Prego. Arrivederci.

5 *La signora Santarelli scrive un fax per prenotare la camera. Completa il fax con le parole della lista.*

carta | servizio | dal | conferma | collegamento
al | spettabile | prenotazione | doccia | valida

_____ Hotel Fini,

confermo la _____ di una camera singola con _____ di mezza

pensione ____ 4 ____ 12 aprile. Desidero una camera con _____ e

_____ Internet. La mia _____ di credito è una VISA

n° 3456 1234 8765 0908 _____ fino al mese di luglio 2014.

Rimango in attesa di una Vostra _____.

Distinti saluti   *Cristina Santarelli*

6 *Leggi la descrizione dell'albergo "Quiete" e scrivi una lettera di prenotazione.*

Il nostro hotel è situato nel verde.
L'ideale per una vacanza all'insegna del relax e punto di partenza per passeggiate e trekking per
conoscere la nostra zona. L' hotel vi offre un'ampia sala colazione, una grande sala da pranzo, bar,
sala lettura, sala giochi per bambini. Parcheggio privato. Dispone di 40 camere tutte con bagno,
TV, radio, telefono. Presa Internet in 20 stanze.

7 **a** *Quando si fanno queste cose? Forma delle frasi con il verbo coniugato alla forma impersonale (con "si") e
associale al momento corrispondente.*

1 In inverno   *(mangiare)*   _____ le uova di cioccolato.

2 L'otto marzo   *(fare)*   _____ le vacanze sulla neve.

3 A Pasqua   *(vendere)*   _____ tanti gelati!

4 In estate   *(mangiare)*   _____ il panettone.

5 In autunno   *(regalare)*   _____ le mimose.

6 A Natale   *(comprare)*   _____ le castagne.

b *Nelle frasi precedenti ci sono i nomi di tre stagioni. Quali? Quale stagione manca?*

_____

8 *Completa le frasi con i verbi della lista coniugati alla forma impersonale (con "si").*

| pagare | visitare | bere | preparare | riciclare | regalare | ascoltare | regalare |

1 Sul "Trambelcanto" _____ arie d'opera.

2 A Roma _____ i Musei Vaticani.

3 In Italia non _____ i regali.

4 Di solito non _____ crisantemi.

5 Con il pesce, di solito, _____ il vino bianco.

6 Agli uomini non _____ fiori.

7 Al ristorante _____ il coperto.

8 In Italia il cappuccino _____ con il latte.

9 *Completa le frasi con i verbi "potere", "volere" e "dovere".*

1 Noi _____ fare una festa domani e _____ ancora preparare tutto.

2 Se *(tu)* non _____ cucinare, questa sera andiamo a mangiare fuori. Dai!

3 Mi dispiace non _____ venire da Giusy stasera. _____ finire la presentazione per la
ditta "Dini & Jana".

4 Mi scusi, non ho capito il Suo nome, lo _____ ripetere per favore?

5 Che ore sono? _____ telefonare a mia madre prima delle ventidue!

6 Barbara e Valeria _____ studiare per un esame e non _____ venire a teatro con noi.

7 Sentite, giovedì *(noi)* _____ andare a Milano per lavoro. _____ venire anche voi?
_____ fare shopping in centro...

8 Che tempo fa? _____ prendere l'ombrello?

9 Marcello fa ginnastica tre volte alla settimana perché _____ perdere cinque chili.

10 Per venire a casa tua _____ usare la macchina o _____ prendere un mezzo pubblico?

10 *Com'è il tempo in Italia?*
Completa le frasi aiutandoti con le immagini.

A Genova _____

A Torino _____

A Verona _____

A Firenze _____

A Venezia _____

A Cagliari _____

A Napoli _____

A Palermo _____

A Lampedusa _____

11 *Scegli una cartolina e scrivi il testo corrispondente.*

12 *Associa le domande alle risposte.*

1 Sei mai stato a Roma?
2 Con chi sei andato a Genova?
3 Sei mai stato al ristorante Da Romano?
4 Vieni alla festa di Samanta?
5 Vai spesso in vacanza in Spagna?
6 Quando andate a ballare?
7 Sei mai stato in un B&B in Italia?

a Ci andiamo il sabato sera verso mezzanotte.
b No, non ci vengo, è una tipa così antipatica.
c Ci vado ogni anno, mi piacciono molto le Isole Baleari.
d No, non ci sono mai stato, preferisco gli hotel.
e Ci sono andato con un collega.
f Sì, ci sono stato l'anno scorso con mia moglie.
g Sì, ci vado spesso a mangiare il pesce.

13 *Forma quattro minidialoghi con le parole delle liste.*

▶ **1** vai | più tardi | quando | ci | vado | al supermercato

♦ _____

● _____

▶ **2** con chi | ci | vado | vai al cinema | con mia moglie

♦ _____

● _____

▶ **3** mia festa | venite alla | veniamo volentieri | sì, certo | ci

♦ _____

● _____

▶ **4** siamo mai stati | conoscete | no, purtroppo non | ci | Venezia

♦ _____

● _____

14 *Ripasso finale. Sottolinea la parola corretta tra quelle evidenziate.*

  1 Io sono di Bari. E tu, invece, **di/da** dove sei?
  2 Umberto Eco è **egiziano/italiano**, di Alessandria.
  3 **Cosa/Che** numero hai?
  4 Lavoro **a/in** Roma, ma abito **a/in** Terni, **a/in** Umbria.
  5 Sono **uno/un** studente italiano **da/di** 23 anni.
  6 Tu che cosa prendi? **Decido/Offro** io.
  7 La birra, **grande/grandi** o **piccola/piccole** ?
  8 **Gli/I** giovani preferiscono **lo/il** yogurt con **gli/i** cereali.
  9 Maria **si/lei** sveglia di solito alle sei.
 10 Sandro lavora sempre **dall'/dal** lunedì **all'/al** venerdì.
 11 Ti **piace/piacciono** i biscotti al burro?
 12 Senta, io vorrei prenotare un **tavolo/teatro** per sei persone.
 13 Scusi, **conosce/sa** dov'è l'ufficio postale?
 14 Cosa prende di **secondo/contorno**? Abbiamo patatine fritte e verdure miste grigliate.
 15 Licia e Chiara **sono/hanno** visitato Siena e Grosseto.
 16 Ti **è/ha** piaciuta la festa di Silvia?
 17 **Prima/Poi** ho mangiato al ristorante e **prima/poi** sono andata a prendere il caffè da Rita.
 18 Vado in palestra **una/due** volte alla settimana.
 19 **Posso/So** suonare il pianoforte.
 20 I panini? Ah, non **le/li** mangio mai. Preferisco qualcosa di caldo.
 21 Torino è una città **grandi/grande** e **moderna/moderne**.
 22 Davanti **della/alla** farmacia c'è il distributore.
 23 Gigi, le **tua/tue** amiche sono proprio simpatiche!
 24 Nel Parco Nazionale del Gran Sasso si **può/possono** fare delle gite stupende.

Vai su
www.almaedizioni.it/chiaro
e mettiti alla prova con
gli esercizi on line
della lezione 10.

Fonetica

15 I suoni [f] e [v], [p] e [b], [t] e [d], [k] e [g]

ROM ▶ 43

a *Ascolta e ripeti le frasi seguenti.*

▶ **1** *I suoni [f] e [v]*
Viaggia con i suoi figli?
Vorrei un posto vicino al finestrino.
Raffaella ama gli sport invernali.
Posso avere il tuo numero di telefono?

▶ **2** *I suoni [p] e [b]*
Qual è il problema?
L'albergo ha la palestra?
Il tempo è bello.
Mi piace andare in bicicletta.

▶ **3** *I suoni [t] e [d]*
Le attività individuali sono noiose.
Dipingere è molto rilassante.
Ieri è stata una giornata splendida.
Vai a piedi o in tram?

▶ **4** *I suoni [k] e [g]*
L'albergo è proprio caro.
C'è collegamento Internet in camera?
Si può pagare con la carta di credito?
Vorrei una camera singola.

ROM ▶ 44

b *Quale suono senti? Segna la tua risposta con una "X".*

A	1	2	3	4	B	1	2	3	4	C	1	2	3	4	D	1	2	3	4
[f]	☐	☐	☐	☐	[p]	☐	☐	☐	☐	[t]	☐	☐	☐	☐	[k]	☐	☐	☐	☐
[v]	☐	☐	☐	☐	[b]	☐	☐	☐	☐	[d]	☐	☐	☐	☐	[g]	☐	☐	☐	☐

c *Sonoro o sordo? Leggi la spiegazione e segna con una "X" la tua risposta alle domande sotto.*

Produci un suono sonoro quando le tue corde vocali vibrano. Se invece il suono è sordo, le corde vocali non vibrano. Pronuncia i suoni indicati sotto poggiando la mano sul collo e prova a sentire la differenza. Poi rispondi alle domande.

I suoni [f], [p], [t] e [k] sono ☐ sonori o ☐ sordi?
I suoni [v], [b], [d] e [g] sono ☐ sonori o ☐ sordi?

ROM ▶ 45

16 *Esercita la tua pronuncia.*
Leggi le frasi seguenti a voce alta, poi ascolta la registrazione e verifica la pronuncia dei suoni evidenziati.

Un **f**ine settimana **f**uori casa.

Fulvia e **V**aleria sono an**d**ate a **F**irenze in **t**reno.
Invece **P**aolo e **B**runo sono an**d**ati in **b**arca a **v**ela dall'Isola d'Elba alle Isole **P**ontine.
Tania e **D**aniele sono s**t**ati a **F**eltre, in **V**eneto.
Caterina e Ivano hanno fa**t**to il **g**iro **d**el Lago **d**i **G**arda **c**on la moto **d**i **C**orrado.

Dossier

17 Per una settimana descrivi in un diario il tempo che fa ogni giorno nella tua città.
Com'è di solito il tempo la mattina? E la sera?

18 Racconta l'ultimo fine settimana che hai passato fuori casa. Dove hai dormito, che cosa hai fatto...?

10

Test Unità 8-10

Segna la risposta corretta con una "X".

1 Io ...... il prossimo fine settimana.

☐ vengono ☐ vengo ☐ viene

2 ...... amica suona il pianoforte.
...... fratello invece suona la chitarra.

☐ Le vostre ☐ Il tuo
☐ Tua ☐ Tuo
☐ La mia ☐ Suo

3 Questo ragazzo è mio fratello e ...... sono i miei cugini.

☐ quello ☐ quelle ☐ quelli

4 Valerio e Donatella ...... fare una gita.

☐ vogliono ☐ volere ☐ volete

5 Mario è di fronte ...... cinema.

☐ a ☐ di ☐ al

6 ...... molti ristoranti nella mia città.

☐ Ci sono ☐ C'è ☐ Sono

7 Si ...... portare animali domestici?

☐ può ☐ possono ☐ posso

8 Serena, ti presento ...... genitori.

☐ i miei ☐ i tuoi ☐ i nostri

9 Marco, Piero, lo stadio non è in centro, ... prendere la macchina.

☐ dobbiamo ☐ dovete ☐ devono

10 Il mio quartiere ...... moderno e tranquillo.

☐ c'è ☐ è ☐ sono

11 Nella mia zona giro ...... piedi.

☐ a ☐ in ☐ con

12 Margherita è alta e ha i capelli ....

☐ magri ☐ castani ☐ lungo

13 Mia madre e mio ...... sono pensionati.

☐ figlio ☐ padre ☐ moglie

14 Quanto ...... una camera doppia?

☐ viene ☐ vengono ☐ fa

15 In vacanza ...... fa molto sport.

☐ ci ☐ si ☐ ti

16 A Milano ...... spesso la nebbia.

☐ è ☐ fa ☐ c'è

17 Oggi il tempo è brutto: piove e ....

☐ fa caldo ☐ fa freddo ☐ c'è il sole

18 Io sono stata a Taormina. E tu ...... sei mai stato?

☐ ci ☐ si ☐ ti

19 ...... non venite a trovarmi?

☐ Come ☐ Perché ☐ Con chi

20 Il distributore è ...... la farmacia e l'ufficio postale.

☐ fra ☐ accanto ☐ davanti

'ALMA.tv ▶

Hai 30 secondi liberi? Allora vai su www.alma.tv nella rubrica *Linguaquiz* e fai un videoquiz per verificare la tua conoscenza dell'italiano.

Grammatica

*La seguente sezione approfondisce i contenuti grammaticali trattati in **Chiaro! A1**. Non intende ovviamente rappresentare un quadro completo della grammatica italiana, bensì fungere da riferimento per il ripasso e fornire le risposte alle domande più frequenti degli studenti. Per un'ulteriore revisione grammaticale, rimandiamo all'ultima pagina di ciascuna lezione. Le fascette* L 1 *indicano la lezione nella quale viene trattato il tema grammaticale in questione (la Lezione 1 nell'esempio).*

Contenuti

Riepilogo dei termini grammaticali

termine	esempio
aggettivo	il caffè **macchiato**
aggettivo dimostrativo	Prendo **quelle** mele.
aggettivo indefinito	**ogni** mattina
articolo → *articolo determinativo* → *articolo indeterminativo* → *articolo partitivo*	**la** pasta, **il** gelato **una** pizza, **un** caffè Vorrei **della** frutta.
avverbio	Sto **bene**.
complemento di termine	Scrivo **a un'amica**.
complemento oggetto	Mangio **gli spaghetti**.
congiunzione	Maria **e** Paolo
coniugazione	io **parlo**, tu **parli**...
consonante	**b, c, d, f**...
desinenza	io abit**o**, tu abit**i**.../i gelat**i**
femminile	**Lei** è spagnol**a**.
infinito	Vorrei **pagare** subito.
maschile	**Lui** è spagnol**o**.
negazione	Oggi **non** lavoro.
numero cardinale	**uno, due, tre**...
numero ordinale	**primo, secondo**...
participio passato	Ho **lavorato** molto.

termine	esempio
plurale	pizze, gelati...
preposizione	**di, a, da, in**...
presente	Adesso **sono** a casa.
pronome dimostrativo	Prendo **quelle**.
pronome/aggettivo interrogativo	**Che** lingue parli?
pronome personale	**io, tu, noi**...
pronome personale oggetto diretto	Non **lo** so.
pronome personale oggetto indiretto	**Le** scrivo.
riflessivo → *pronome riflessivo* → *verbo riflessivo*	 **Mi** riposo. **Mi riposo**.
singolare	gelato, birra
sostantivo	mare, pasta, vino
superlativo → *superlativo assoluto*	 Sto **benissimo**.
verbo	**mangiare, bere**...
verbo ausiliare	**Ho** lavorato molto.
verbo servile	**Devo** lavorare.
vocale	**a, e, i, o, u**

1 Fonetica e ortografia

1.1 L'alfabeto

*L'alfabeto italiano comprende 21 lettere. A queste si aggiungono 5 lettere (**j**, **k**, **w**, **x**, **y**), presenti in parole di origine straniera.*

a	a	**e**	e	**i**	i	**m**	emme	**q**	cu	**v**	vi/vu
b	bi	**f**	effe	**j**	i lunga	**n**	enne	**r**	erre	**w**	vu doppia
c	ci	**g**	gi	**k**	cappa	**o**	o	**s**	esse	**x**	ics
d	di	**h**	acca	**l**	elle	**p**	pi	**t**	ti	**y**	ipsilon
								u	u	**z**	zeta

1.2 La pronuncia

In italiano le parole si leggono fondamentalmente come si scrivono.
Esistono però delle particolarità relative ad alcune lettere o combinazioni di lettere.

	posizione	suono	esempio
c	+ *e, i*	[tʃ]	pia**ce**re, **ci**occolata
	+ *a, o, u* + *h* + *e, i* *altri casi*	[k]	mer**ca**to, **co**me, **cu**ore an**che**, **chi**aro **cl**ima
g	+ *e, i*	[dʒ]	**ge**lato, ori**gi**ne
	+ *a, o, u* + *h* + *e, i* *altri casi*	[g]	impie**ga**ta, pre**go**, lin**gua** spa**ghe**tti, dialo**ghi** **gra**zie
gl	+ *i*	[ʎ]	**gli**, fami**gli**a, lu**gli**o
	altri casi	[gl]	in**gl**ese, **gl**obo
gn		[ɲ]	**gn**occhi, inse**gn**ante
h		*non si pronuncia*	**h**otel, **h**o
qu		[kw]	ac**qu**a, **qu**esto, **qu**i
r		[r] *vibrante*	t**r**eno, pe**r**ché, ba**r**, **r**osa
sc	+ *e, i*	[ʃ]	pe**sce**, **sci**are
	+ *a, o, u* + *h* + *e, i*	[sk]	**sca**mbio, tede**sco**, **scu**si **sche**ma, tede**schi**

▶ *Attenzione: nella combinazione **gu** + vocale (come in **gua**rdare) la **u** si pronuncia.*

▶ *Nei dittonghi (unione di due vocali), ogni vocale mantiene il proprio suono e va pronunciata:* **euro** *[e – u],* **dieci** *[i – e],* **pausa** *[a – u].*

▶ *Nelle combinazioni **cia**, **cio**, **ciu** e **gia**, **gio**, **giu** e **scia**, **scio**, **sciu** la **i** si pronuncia solo quando è accentata (farmac**i**a, Luc**i**a, bug**i**a, sc**i**o), altrimenti no (ci**a**o, dici**o**tto, buongi**o**rno, Giuse**ppe**, Bre**sc**ia).*

▶ *In italiano le consonanti doppie hanno un suono ben distinto. Si pronunciano con un suono lungo, mentre la vocale che le precede ha un suono breve:* **piazza**, **macchina**, **cellulare**, **diciassette**.

1.3 L'accento grafico e sonoro

▶ *La maggior parte delle parole italiane ha l'accento sulla penultima sillaba, come in* **la<u>vo</u>ro**.

▶ *In alcuni casi l'accento può cadere:*
  • *sull'ultima sillaba:* **vener<u>dì</u>**
  • *sulla terz'ultima sillaba:* **<u>la</u>vorano**
  • *sulla quart'ultima sillaba:* **te<u>le</u>fonano**.

Le regole sull'accento presentano moltissime eccezioni, quindi è consigliabile memorizzare l'accento di una parola quando la si impara per la prima volta.

▶ *L'accento grafico è presente solo quando l'accento sonoro cade sull'ultima sillaba. Viene anche indicato su alcune parole monosillabiche per distinguerle da parole identiche, ma di significato diverso:*

sì ⟷ **si**   **è** ⟷ **e**   **dà** ⟷ **da**.

▶ *In italiano esistono due accenti grafici:*
  • *l'accento grave (`) può cadere su qualsiasi vocale ed è più frequente:* **città**, **caffè**, **lunedì**, **però**, **più**
  • *l'accento acuto (´) indica la pronuncia della **e** finale:* **perché**, **ventitré**.

L 5

1.4 L'intonazione enunciativa e interrogativa

In italiano la costruzione della frase enunciativa è identica a quella interrogativa.
L'unica differenza consiste nella melodia della frase (ascendente nelle domande):

La signora Monfalco è di Torino.   La signora Monfalco è di Torino?

2 Sostantivi

L 1

2.1 Il genere

I sostantivi italiani possono essere maschili o femminili. Generalmente il genere grammaticale si capisce grazie alla desinenza del sostantivo:

	maschile	femminile
• *i sostantivi che terminano in **-o** sono generalmente maschili*		
• *i sostantivi che terminano in **-a** sono generalmente femminili*	il vin**o**	la past**a**
• *i sostantivi che terminano in **-e** possono essere o maschili o femminili.*	il mar**e**	la voc**e**

▶ *Esistono alcuni sostantivi femminili che terminano in **-o**:* **la radio**, **la foto**, **la moto**, **l'auto**, **la mano**.

▶ *Esistono alcuni sostantivi maschili che terminano in **-a**:* **il cinema**, **il problema**.

▶ *I sostantivi che terminano con una consonante (quasi sempre parole straniere) sono generalmente maschili:* **il bar**, **il toast**, **lo yogurt**, **lo snack**, **il film**, **il tram**.

▶ *I giorni della settimana che terminano in **-ì** (**il martedì**) e i numeri (**il dieci**) sono maschili.*

▶ *Sono femminili le lettere dell'alfabeto (**la b**), quasi tutti i sostantivi in **-ione** (**la stazione**, **la colazione**) e le città, indipendentemente dalla desinenza:* **Milano** *è rumoros**a**.*

2.2   I nomi di persona

Alcuni nomi di persona hanno una forma maschile in -o e una forma femminile in -a:	*Alcuni nomi di persona hanno una sola forma sia per il maschile che per il femminile:*
maschile **femminile**	**maschile** **femminile**
il bambin**o** la bambin**a** l'impiega**to** l'impiega**ta**	il colle**ga** la colle**ga** il frances**e** la frances**e** il rappresentant**e** la rappresentant**e** il giorna**lista** la giorna**lista**

▶ *I nomi di persona che hanno il maschile in -**tore** formano il femminile in -**trice**:*
il diret**tore** – la diret**trice**.

▶ *Per i nomi di alcune professioni si utilizza la forma maschile anche per le donne:*
il medico *(uomo/donna),* **il magistrato** *(uomo/donna).*

2.3   La formazione del plurale

		singolare	plurale
• *Generalmente i sostantivi maschili hanno il plurale in -**i***	maschile	panin**o**	panin**i**
• *i sostantivi femminili in -**a** hanno il plurale in -**e***		liquor**e**	liquor**i**
• *i sostantivi femminili in -**e** e -**o** hanno il plurale in -**i***		problem**a**	problem**i**
		giorna**lista**	giorna**listi**
• *i sostantivi che terminano in -**ista** hanno due forme plurali: in -**i** per il maschile e in -**e** per il femminile.*	femminile	birr**a**	birr**e**
		stazion**e**	stazion**i**
		man**o**	man**i**
		giorna**lista**	giorna**liste**

2.4   Particolarità nella formazione del plurale

Forme invariabili

		singolare	plurale
Sono invariabili:	maschile	un bar	due bar
• *i sostantivi che terminano con una consonante o una vocale accentata*		un caffè	due caffè
		un cinema	due cinema
• *le parole abbreviate, per esempio:* **auto** *(automobile),* **bici** *(bicicletta),* **foto** *(fotografia),* **moto** *(motocicletta),* **cinema** *(cinematografo),* **radio** *(radiofonia).*	femminile	una città	due città
		una foto	due foto

Sostantivi in -*ca/-ga*, -*co/-go*

▶ *I sostantivi in -**ca/-ga** hanno il plurale in -**che /-ghe**:* pes**ca** – pes**che**; colle**ga** – colle**ghe**.

▶ *I sostantivi in -**co/-go** accentati sulla penultima sillaba hanno il plurale in -**chi/-ghi**:* su̱c**co** – su̱c**chi**; alber**go** – alber**ghi**.

Eccezioni importanti: am**i̱co** – am**i̱ci**; gr**e̱co** – gr**e̱ci**.

▶ *I sostantivi in -**co/-go** accentati sulla terz'ultima sillaba hanno il plurale in -**ci/-gi**:* austri̱a**co** – austri̱a**ci**; analco̱li**co** – analco̱li**ci**; aspara**go** – aspara**gi**.

! *I sostantivi maschili in **-logo** hanno il plurale in **-loghi**, se indicano una cosa o un concetto, mentre hanno il plurale in **-logi**, se si riferiscono a una persona. In questo caso l'accento è irrilevante. Il plurale femminile è sempre in **-loghe**: dialogo – dialoghi; psicologo – psicologi; psicologa – psicologhe.*

L 7

Sostantivi in *-cia/-gia*

• *I sostantivi in **-cia/-gia** con la **i** accentata hanno il plurale in **-cie/-gie***	farmacia – farmacie bugia – bugie
• *i sostantivi in **-cia/-gia** (sillaba non accentata) hanno il plurale in **-cie/-gie**, se la sillaba è preceduta da una vocale, o in **-ce/-ge**, se la sillaba è preceduta da una consonante.*	acacia – acacie ciliegia – ciliegie arancia – arance pioggia – piogge

▶ *Generalmente i sostantivi in **-io** hanno il plurale in **-i** (perdono la **o**). Se però la **i** della desinenza è accentata, non scompare nel plurale:* formaggio – formaggi; zio – zii; negozio – negozi.

L 3,8

Plurali irregolari

▶ *Alcuni sostantivi sono maschili al singolare e femminili al plurale. Formano inoltre il plurale con la desinenza irregolare **-a:** l'uovo – le uova.*

▶ *Alcuni sostantivi esistono solo o al singolare, o solo al plurale:*
Che cosa può fare **la gente** in piazza?   Facciamo una gita nei **dintorni** di Ferrara?
(la gente, *sing.*)   (i dintorni, *pl.*)

▶ *Attenzione, per i gruppi misti di uomini e donne si utilizza la forma maschile plurale:*
i compagni *si riferisce quindi sia agli studenti che alle studentesse.*

3 Articoli

La forma dell'articolo determinativo e indeterminativo dipende dal genere e dalla lettera iniziale/dalle lettere iniziali del sostantivo a cui l'articolo si riferisce.

L 2

3.1 L'articolo indeterminativo

	maschile	femminile	
davanti a consonante	**un** ragazzo	**una** ragazza	• *Davanti alla lettera **h** si utilizza **un** o **una**:* **un** hotel, **una** hall.
davanti a vocale	**un** albergo	**un'**opera	
*davanti a **gn***	**uno** gnomo		
*davanti a **ps***	**uno** psicologo		
*davanti a **s** + consonante*	**uno** scambio		
*davanti a **x***	**uno** xilofono		
*davanti a **y***	**uno** yogurt		
*davanti a **z***	**uno** zero		

3.2 L'articolo determinativo

	maschile		femminile	
	singolare	plurale	singolare	plurale
davanti a consonante	**il** ragazzo	**i** ragazzi	**la** ragazza	**le** ragazze
davanti a vocale	**l'**albergo	**gli** alberghi	**l'**opera	**le** opere
davanti a **s** *+ consonante*	**lo** scambio	**gli** scambi		
davanti a **z**	**lo** zero	**gli** zeri		
davanti a **ps**	**lo** psicologo	**gli** psicologi		
davanti a **y**	**lo** yogurt	**gli** yogurt		

- *Davanti a* **i** *+ vocale si usa* **lo** *o* **la**: **lo** Ionio, **la** iena

- *davanti a* **h** *si usa* **l'** *o* **la**: **l'**hotel, **la** hall.

3.3 L'uso dell'articolo determinativo

In italiano l'articolo determinativo si utilizza nei casi seguenti:

▶ *davanti a* **signore/signora** *e i titoli personali seguiti da nomi propri (ma non quando ci si rivolge direttamente alla persona):*
Signora Monfalco... **il signor** Klum.
Signora Rossetti... **il dottor** Ghini.

▶ *Con i nomi di professione dopo il verbo* **fare**:
Che lavoro fai? **Faccio la** giornalista.

▶ *Con le lingue:*
◆ Parla **il tedesco**?
■ No, parlo **lo spagnolo** e **l'inglese**.

▶ *Con i nomi di paese:*
Io conosco bene **la Germania**.

L'articolo determinativo è assente nella combinazione **in** *+* **via/viale/piazza** *+ nome:*
Chiara abita **in Spagna/ in via Verdi**.

▶ *Con l'orario:*
Sono **le undici**.   È **l'una**.

▶ *Con le parti della giornata, per indicare una consuetudine:*
La mattina mi alzo alle 6.30.
Il pomeriggio lavoro fino alle 17.

▶ *Con le parti del corpo (per es. per descrivere l'aspetto fisico di una persona):*
Margherita ha **i capelli castani**.

❶ *Con i giorni della settimana l'uso dell'articolo determinativo può cambiare il senso della frase:*

• *articolo + giorno della settimana = azione abituale*	**Il venerdì** vado a ballare.
• *giorno della settimana senza articolo = azione che avviene in un giorno specifico (passato o futuro a seconda del contesto).*	**Venerdì** vado a ballare. **Venerdì** sono andato a ballare.

▶ *In generale l'articolo è assente con i mesi dell'anno, ma compare se il mese è associato a un aggettivo:*
Giugno è ideale per viaggiare.
Il giugno scorso sono stato in Italia.

▶ *L'articolo è assente nelle enumerazioni:*
La colazione all'italiana si basa su latte, caffè o tè, biscotti o fette biscottate, marmellata o miele, e burro.

3.4   L'articolo partitivo

L'articolo partitivo si utilizza con quantità indefinite (significa: un po' di, alcuni/alcune, qualche).
*Si forma con la preposizione **di** unita all'articolo determinativo:*

Vorrei **della** frutta.
Ho comprato **del** pecorino.
Ho **delle** mele molto buone.
Ha **dei** mirtilli freschi?

4   Aggettivi

4.1   Le forme

Gli aggettivi servono a definire meglio un sostantivo. Concordano sempre in genere e numero con l'oggetto
o la persona a cui si riferiscono. La concordanza si applica anche quando l'aggettivo segue il verbo:

Un macchiato cald**o**, per favore.   Il caffè è amar**o**.
Una birra piccol**a**, per favore.   La cioccolata è cald**a**.

Esistono due tipi di aggettivi:		singolare	plurale
• *gli aggettivi che terminano in **-o** al maschile e in **-a** al femminile hanno il plurale rispettivamente in **-i** e **-e***	maschile	panin**o** cald**o** prodott**o** local**e**	panin**i** cald**i** prodott**i** local**i**
• *gli aggettivi che terminano in **-e** sia al maschile che al femminile hanno il plurale in **-i**.*	femminile	cioccolat**a** cald**a** birr**a** grand**e**	cioccolat**e** cald**e** birr**e** grand**i**

❶ *Quando un aggettivo si riferisce a sostantivi di genere diverso, va alla forma maschile plurale:*
Ho visitato citt**à** e paes**i** molto bell**i**.

Gli aggettivi in *-co/-ca, -go/-ga*

*Come per i sostantivi, gli aggettivi in **-co/-ca**, **-go/-ga** formano il plurale secondo le regole seguenti:*

	singolare	plurale
• *gli aggettivi in **-ca/-ga** hanno il plurale sempre in **-che/-ghe***	formaggio fres**co** fragola fres**ca**	formaggi fres**chi** fragole fres**che**
• *gli aggettivi in **-co/-go** hanno il plurale in **-chi/-ghi** se l'accento cade sulla penultima sillaba, o in **-ci/-gi**, se l'accento cade sulla terz'ultima sillaba.*	caffè lu**ngo** passeggiata lu**nga**	caffè lu**nghi** passeggiate lu**nghe**
	aperitivo analcol**ico** bevanda analcol**ica**	aperitivi analcol**ici** bevande analcol**iche**
	eccezione importante: greco un ragazzo gr**eco**	due ragazzi gr**eci**

7

4.2 I colori

Gli aggettivi che indicano i colori hanno le stesse desinenze di tutti gli altri aggettivi.	singolare il pomodoro rosso il peperone verde la fragola rossa la mela verde	plurale i pomodori rossi i peperoni verdi le fragole rosse le mele verdi
Alcuni colori, come **blu**, **rosa**, **viola**, o **beige** sono invariabili.	singolare Il mirtillo è **blu**. La susina è **blu**.	plurale I mirtilli sono **blu**. Le susine sono **blu**.

4.3 La posizione

▶ *Generalmente in italiano l'aggettivo si trova dopo il sostantivo:*
Mario è un tipo **sportivo**.

▶ *Questa regola vale anche per le nazionalità, i colori, gli aggettivi elencati uno di seguito all'altro e gli aggettivi preceduti dall'avverbio* **molto**:
Conosco una ragazza **spagnola**.
Preferisce i peperoni **gialli**, **verdi** o **rossi**?
Ferrara è una città **carina** e **tranquilla**.
Le mele sono **molto buone**.

▶ *Alcuni aggettivi si trovano prima dei sostantivi; è il caso di* **molto**, **tanto** *e* **poco**:
Molti giovani hanno seguito i concerti.
Tanti auguri!
Ho **poco** tempo libero.

▶ *Alcuni aggettivi, come* **piccolo** *e* **grande**, *possono precedere o seguire il sostantivo. Quando lo seguono, servono a differenziare:*
I negozi **piccoli** sono pochi.

6, 10
4.4 Il superlativo assoluto

Il superlativo assoluto indica un grado molto alto di una qualità:

Tantissimi auguri! Felicitazioni **vivissime**! Il giro è **molto bello**.

Il superlativo assoluto si forma:	maschile	
• *con l'avverbio* **molto** *(invariabile) + aggettivo*	**molto** bello **molto** grande	bell**issimo** grand**issimo**
• *con il suffisso* **-issimo/-issima** *aggiunto alla radice dell'aggettivo. In questo caso gli aggettivi in* **-e** *prendono la desinenza* **-o/-a**.	femminile **molto** bella **molto** grande	bell**issima** grand**issima**

🛈 *Per non variare la pronuncia dei suoni* **c** *e* **g**, *si aggiunge una* **h** *per gli aggettivi in* **-co/-ca**:
Ho dei mirtilli fres**ch**issimi.
Faccio passeggiate lung**h**issime.

🛈 *L'aggettivo* **molto** *può formare il superlativo assoluto solo con il suffisso* **-issimo/-issima**:
Ci sono **moltissime** occasioni di svago.

L 1, 2, 4, 10

5.1 I pronomi soggetto

In italiano il soggetto del verbo è espresso raramente. Appare unicamente quando si desidera mettere in risalto una o più persone, esprimere un'opposizione, evitare fraintendimenti, rendere chiaro un riferimento ambiguo, oppure quando il verbo è assente. Per enfatizzare il soggetto, è possibile inserirlo alla fine della frase.	singolare	plurale
	io	noi
	tu	voi
	lui	loro
	lei	Loro
	Lei	

Di dove sei? – Sono di Torino.
Io sono di Torino. E **tu** di dove sei?
Che lavoro fa? – Sono medico. E **Lei**?
Che cosa prendi? Offro **io**!

▶ *Per la forma di cortesia si utilizza il pronome singolare* **Lei***, quando ci si rivolge a una sola persona, o* **Loro** *se ci si rivolge a più persone.* **Loro** *è però estremamente formale, per questo in generale si preferisce utilizzare la seconda persona plurale,* **voi***. Nella lingua scritta i pronomi personali di cortesia cominciano con la lettera maiuscola.*

▶ *In italiano non esiste un pronome soggetto "neutro". Per esprimere un soggetto neutro in generale si omette il pronome:*
Che ore sono?   (Non) è vero.   Piove.

L 5

5.2 I pronomi indiretti (complemento di termine)

Le forme

I pronomi indiretti hanno forme atone e toniche.	forme atone	forme toniche	forme atone	forme toniche
	mi	a **me**	Le	a **Lei**
	ti	a **te**	ci	a **noi**
	gli	a **lui**	vi	a **voi**
	le	a **lei**	gli	a **loro**

L'uso dei pronomi indiretti

I pronomi indiretti sostituiscono un complemento di termine nominato in precedenza:	
• *le forme* **atone** *si utilizzano sempre insieme a un verbo*	La discoteca non **mi** piace.
• *le forme* **toniche** *si utilizzano (anche senza verbo) per mettere in risalto il pronome, o dopo una preposizione.*	A **me** la discoteca non piace. E a **te**? Vieni con **noi**?

L 4, 5

La posizione dei pronomi e della negazione *non*

I pronomi indiretti atoni precedono sistematicamente il verbo, mentre i pronomi indiretti tonici possono trovarsi o prima del soggetto, o prima del verbo.	Ferrara **mi** piace. A **me** Ferrara piace. Ferrara a **me** piace.

La negazione **non** precede i pronomi indiretti atoni, ma segue i pronomi indiretti tonici.	Ferrara **non** gli piace. A lui Ferrara **non** piace.

5.3 I pronomi diretti (complemento oggetto)

Le forme

I pronomi diretti hanno forme atone e toniche.	forme atone	forme toniche	forme atone	forme toniche
	mi	me	ci	noi
	ti	te	vi	voi
	lo	lui	li	loro
	la	lei	le	loro
	La	Lei		

L'uso e la posizione dei pronomi diretti

I pronomi diretti sostituiscono un complemento oggetto nominato in precedenza.

*I pronomi **lo**, **la**, **li**, **le** concordano in genere e numero con la persona o con l'oggetto che sostituiscono. Se riferito a gruppi misti (uomini e donne), si usa il pronome maschile:*

Prende **il radicchio**? – Sì, **lo** prendo.   Prende **la frutta**? – Sì, **la** prendo.
Prende **i pomodori**? – Sì, **li** prendo.   Prende **le fragole**? – Sì, **le** prendo.

***Lo** può sostituire anche una frase:*
Che ore sono? – Non **lo** so.

▶ *Il pronome diretto atono si utilizza sistematicamente prima del verbo.*

▶ *Il pronome diretto tonico si può utilizzare dopo il verbo o senza verbo per mettere in risalto il complemento oggetto:*
Chi porta il vino? – **Lo** porto io!   Chi vuole? **Me** o **te**? – Vuole **te**!

5.4 Le particelle pronominali *ne* e *ci*

▶ ***Ne** indica la quantità parziale di una cosa nominata in precedenza e compare prima del verbo:*
Vorrei dell'insalata. – Quanta **ne** vuole?
Prendo le mele. **Ne** vorrei un chilo.

▶ ***Ci** sostituisce un luogo indicato in precedenza e compare prima del verbo:*
Sei mai stato **in Italia**? – Sì **ci** sono stato spesso./No, non **ci** sono mai stato.

6   Possessivi

Le forme

I possessivi concordano in genere e numero con l'oggetto a cui si riferiscono:

	maschile			femminile		
	singolare	**plurale**		**singolare**	**plurale**	
(io)	il mio	i miei		la mia	le mie	
(tu)	il tuo	i tuoi		la tua	le tue	
(lui, lei)	il suo	i suoi		la sua	le sue	
(Lei)	il Suo	i Suoi	vicino / vicini	la Sua	le Sue	vicina / vicine
(noi)	il nostro	i nostri		la nostra	le nostre	
(voi)	il vostro	i vostri		la vostra	le vostre	
(loro)	il loro	i loro		la loro	le loro	

🛈 *In italiano il genere della persona che possiede non è rilevante per la concordanza del possessivo.*
*Quindi il possessivo **suo**, per esempio, può indicare qualcosa che appartiene sia a "lui" che a "lei".*
Il possessivo concorda con il genere e il numero dell'oggetto posseduto, non della persona che lo possiede:
Luisa incontra **la sua vicina** di casa.
Luigi incontra **la sua vicina** di casa.

▸ ***Suo** si utilizza anche nel discorso formale quando si usa **Lei**. Nella lingua scritta comincia con la lettera maiuscola.*

▸ ***Loro** è invariabile:*
I Verlasco parlano con **il loro vicino**.
I Verlasco parlano con **i loro vicini**.

L'uso dell'articolo con i possessivi

▸ *In generale il possessivo è preceduto dall'articolo determinativo, ma a seconda dei casi si può utilizzare anche l'articolo indeterminativo, con conseguente variazione di significato:*
Lui è Sergio, **il** mio vicino di casa.   *(= l'unico)*
Lui è Sergio, **un** mio vicino di casa.   *(= uno dei tanti)*

🛈

• *Con i nomi di parentela al singolare non si utilizza l'articolo determinativo*	Questo è **mio** zio.
• *con **loro** l'articolo si utilizza in ogni caso*	Ecco Chiara e Francesco con **il loro** zio.
• *con i nomi di parentela al plurale l'articolo compare sempre.*	Questi sono **i miei** zii.

L 8
▸ *In acune locuzioni, per esempio con la parola **casa**, il possessivo si trova dopo il sostantivo, senza articolo:*
Vicino a casa **mia** c'è un castello.

L 9 **7** ## Dimostrativi

*I dimostrativi **questo** e **quello** concordano in genere e numero con il sostantivo a cui si riferiscono.*

▸ ***Questo/questa/questi/queste** si riferiscono a persone o oggetti vicini a chi parla:*
E **questo** ragazzo biondo chi è?

▸ ***Quello/quella/quelli/quelle** si riferiscono a persone o oggetti lontani da chi parla:*
Anita è **quella** signora lì a destra.

8 Aggettivi e avverbi indefiniti

Molto, tanto e poco

Molto, tanto e **poco** si possono utilizzare sia come aggettivi che come avverbi.

▶ *Come aggettivi concordano in genere e numero con il sostantivo a cui si riferiscono:*
Ho poc**o** temp**o**.
Ci sono molt**e** person**e**.
Ci sono tant**e** cos**e** da fare.
Ci sono poch**i** negoz**i** piccoli.

▶ *Come avverbi sono invariabili:*
Questa città è **molto** tranquilla.
Non sto **tanto** bene.
Abbiamo dormito **poco**.

Ogni

Ogni *precede il sostantivo singolare e ha una forma invariabile:*

Il cameriere calcola il conto per **ogni** cliente.
Ogni mattina faccio una passeggiata.

Tutto

Quando funge da pronome, **tutto** *significa "ogni cosa" al singolare e "ogni persona" al plurale.*
Quando funziona come un aggettivo, è seguito dall'articolo determinativo e dal sostantivo:

Lunedì Le racconto **tutto**.   La domenica **tutta la famiglia** pranza insieme.
La casa di Anita è sempre aperta a **tutti**.   Ci sono **tutte le cose** che mi servono.

9 Verbi

A seconda della desinenza dell'infinito, i verbi italiani si suddividono in tre gruppi:
verbi in **-are** *(prima coniugazione), in* **-ere** *(seconda coniugazione) e in* **-ire** *(terza coniugazione).*

9.1   Il presente indicativo

9.1.1   I verbi regolari

	abitare	prendere	offrire
(io)	ab**i**to	pr**e**ndo	**o**ffro
(tu)	ab**i**ti	pr**e**ndi	**o**ffri
(lui, lei, Lei)	ab**i**ta	pr**e**nde	**o**ffre
(noi)	abit**iamo**	prend**iamo**	offr**iamo**
(voi)	abit**ate**	prend**ete**	offr**ite**
(loro)	ab**i**tano	pr**e**ndono	**o**ffrono

- *Per tutti i verbi regolari che appartengono a una coniugazione specifica si aggiungono al tema verbale le stesse desinenze; a ogni pronome corrisponde una desinenza*
- *poiché dalla desinenza si capisce chi compie l'azione, il pronome soggetto è spesso omesso*
- *per la forma di cortesia (**Lei**) si utilizza la terza persona singolare; la terza persona plurale (**Loro**) si utilizza ormai solo in situazioni molto formali; nella lingua corrente è sostituita dalla seconda persona plurale (**voi**).*

▶ *Nella prima e nella seconda persona plurale l'accento cade sulla penultima sillaba.*
Negli altri casi cade sulla stessa sillaba della prima persona singolare.

9.1.2   I verbi con ampliamento del tema

*Alcuni verbi della terza coniugazione in **-ire**, al singolare e alla terza persona plurale, aggiungono **-isc-** al loro tema verbale. Questo fenomeno non interessa la prima e la seconda persona plurale. Le desinenze di questi verbi sono uguali a quelle degli altri verbi della terza coniugazione. La **i** della combinazione **-isc-** è sempre accentata.*

	preferire		
(io)	prefer**isco**	*(noi)*	prefer**iamo**
(tu)	prefer**isci**	*(voi)*	prefer**ite**
(lui, lei, Lei)	prefer**isce**	*(loro)*	prefer**iscono**

*Finire (Lezione 4) e **capire** (Lezione 1) si coniugano come **preferire** (Lezione 3).*

9.1.3   I verbi in -care/-gare, -ciare/-giare, -gere/-scere

Numerosi verbi regolari presentano alcune particolarità nella forma scritta o nella pronuncia.

▶ *Per non variare la pronuncia alla seconda persona singolare e alla prima persona plurale dei verbi in **-care** e **-gare**, si inserisce la lettera **h**:* giochi/giochiamo; paghi/paghiamo.

▶ *Nei verbi in **-ciare** e **-giare** la **i** del tema verbale "si fonde" nella **i** della desinenza; la seconda persona singolare e la prima persona plurale sono quindi:* cominci/cominciamo; mangi/mangiamo.

▶ *Nei verbi in **-gere** e **-scere** varia la pronuncia della **g** e della **sc**, quando la vocale che segue è **o** oppure **e/i** (vedi sezione "Fonetica e ortografia"):* leggo [**-go**], leggi [**-dʒi**]; conosco [**-sko**], conosci [**-ʃi**].

*La coniugazione completa di **giocare**, **pagare**, **cominciare**, **mangiare**, **leggere** e **conoscere** si trova nella tabella verbi in terza di copertina.*

9.1.4   I verbi irregolari

Alcuni verbi presentano forme irregolari al presente indicativo.
*In **Chiaro! A1** appaiono i seguenti verbi irregolari:*

avere	*(Lezione 1)*	**uscire**	*(Lezione 4)*
essere	*(Lezione 1)*	**sapere**	*(Lezione 5)*
dire	*(Lezione 1)*	**potere**	*(Lezione 5)*
stare	*(Lezione 2)*	**venire**	*(Lezione 8)*
fare	*(Lezione 2)*	**volere**	*(Lezione 8)*
bere	*(Lezione 3)*	**dovere**	*(Lezione 10)*
andare	*(Lezione 4)*		

La coniugazione di questi verbi si trova nella tabella in terza di copertina.

9.1.5   Il verbo *piacere*

*Il verbo **piacere** (Lezione 4 e 5):*

- *può essere seguito da un verbo, ma solo all'infinito*

- *concorda con il sostantivo che segue (singolare o plurale); in questo caso il sostantivo può stare prima o dopo il verbo.*

Mi piace **uscire** con gli amici. *(infinito)*

Ferrara mi **piace**. *(singolare)*

Ti **piace** il pesce? *(singolare)*

I funghi non gli **piacciono**. *(plurale)*

9.1.6   I verbi modali *dovere, potere, sapere, volere*

Dovere, potere, sapere e *volere presentano forme irregolari (vedi tabella verbi in terza di copertina).
Fungono sia da verbi principali che da verbi modali (in questo caso sono seguiti da un verbo all'infinito).*

▶ *Potere significa, a seconda dei casi, "avere la possibilità" o "avere il permesso":*
Può prendere l'autobus numero 3.
Si **possono** portare animali?

▶ *Sapere significa, a seconda dei casi, "essere a conoscenza" o "essere capace":*
Sa dov'è la fermata del tram?
Maria **sa** suonare il piano.

La differenza tra *potere* e *sapere*

▶ *Potere indica una possibilità, **sapere** una capacità acquisita:*
Adesso ho tempo e **posso** suonare un po' il piano.
So suonare bene il piano.

▶ *Vorrei si comporta come un verbo modale:*
Vorrei restare a casa stasera.

9.1.7   Il verbo *esserci*

*Al presente il verbo **esserci** esiste solo nelle forme **c'è** e **ci sono**. **C'è** si utilizza prima di sostantivi al singolare,
ci sono prima di sostantivi plurali:*
C'è una farmacia qui vicino?
Nel mio quartiere **ci sono** molti negozi.

Essere o *esserci*

▶ *Si utilizza il verbo **esserci** per dare o chiedere informazioni sulla presenza di qualcosa o qualcuno.*

▶ *Se invece si danno o chiedono informazioni sulla posizione di qualcosa o qualcuno, si utilizza **essere**:*
   C'è anche Roberto.
   In centro **c'è** lo stadio.
   Lo stadio **è** in centro.
   Dov'**è** lo stadio?

9.2   I verbi riflessivi

I verbi riflessivi si coniugano come i verbi non riflessivi. Il pronome riflessivo si trova sistematicamente prima del verbo.		**rilassarsi**
	(io)	**mi** rilasso
	(tu)	**ti** rilassi
	(lui, lei, Lei)	**si** rilassa
	(noi)	**ci** rilassiamo
	(voi)	**vi** rilassate
	(loro)	**si** rilassano

In discoteca **mi** diverto.   In discoteca **non mi** diverto.
Sara **si sveglia** sempre presto.   La domenica **non ci svegliamo** mai prima delle 10.

▶ *I verbi che indicano azioni reciproche tra due o più persone si comportano come verbi riflessivi:*
Molte persone **si incontrano** in piazza.
Ci vediamo venerdì?

9.3 La costruzione impersonale con *si*

*Nella costruzione con **si** il verbo è coniugato alla forma plurale se si riferisce a un sostantivo plurale:*

Come si pronunci**a** quest**a** parol**a**?
Come si pronunci**ano** quest**e** parol**e**?

9.4 Il passato prossimo

Il passato prossimo esprime azioni ed eventi passati conclusi.

Le forme

*Il passato prossimo si forma con il presente indicativo di **essere** o **avere** e il participio passato del verbo.*

*Il participio passato si forma sostituendo la desinenza dell'infinito (-**are**, -**ere**, -**ire**) con le desinenze -**ato**, -**uto**, -**ito**.*	lavor**are** →	lavor**ato**
	ricev**ere** →	ricev**uto**
	sent**ire** →	sent**ito**

*Numerosi verbi (soprattutto quelli in -**ere**) hanno un participio passato irregolare.*
*La Lezione 6 di **Chiaro! A1** presenta i seguenti participi irregolari:*

conoscere	→	**conosciuto**		piacere	→	**piaciuto**
dire	→	**detto**		prendere	→	**preso**
essere	→	**stato**		scrivere	→	**scritto**
fare	→	**fatto**		sorridere	→	**sorriso**
leggere	→	**letto**		vedere	→	**visto**

Altre forme sono presenti nella tabella verbi in terza di copertina.

🄳 *Generalmente in italiano il verbo ausiliare e il participio passato si trovano vicini.*
*La negazione **non** va prima dell'ausiliare:*
Sara **non ha visto** il film.

Il passato prossimo con *avere*

		avere	participio passato
*Quando il passato prossimo si forma con **avere**, il participio passato resta invariato in -**o**.*	*(io)*	ho	lavorat**o**
	(tu)	hai	lavorat**o**
	(lui, lei, Lei)	ha	lavorat**o**
	(noi)	abbiamo	lavorat**o**
	(voi)	avete	lavorat**o**
	(loro)	hanno	lavorat**o**

Ieri Claudia **ha lavorato** molto.
Anche Paolo e Clara **hanno lavorato** molto.

Il passato prossimo con *essere*

		essere	participio passato
Quando il passato prossimo si forma con ***essere****, il participio passato concorda in genere e numero con il soggetto.*	*(io)*	sono	andat**o**/andat**a**
	(tu)	sei	andat**o**/andat**a**
	(lui, lei, Lei)	è	andat**o**/andat**a**
	(noi)	siamo	andat**i**/andat**e**
	(voi)	siete	andat**i**/andat**e**
	(loro)	sono	andat**i**/andat**e**

Paolo è andat**o** al cinema.
Lucia è andat**a** al cinema.
Paolo e Lucia sono andat**i** al cinema.
Sara e Clara sono andat**e** al lavoro.

9.5 L'uso dell'infinito

3, 4, 5, 7

*Dopo alcuni verbi ed espressioni si usa direttamente l'infinito senza preposizione: la regola si applica ai verbi modali (vedi pagina 201), ai verbi **preferire, piacere, amare, adorare** e a espressioni con **essere** + aggettivo:*

Vorrei pagare subito.
Preferisco fare colazione a casa.
D'inverno non **mi piace uscire** la sera.
Adoro cucinare per gli amici.
È possibile prenotare un tavolo per martedì sera?

Dopo alcuni verbi, l'infinito è preceduto da una preposizione:

andare **a**	Lucia va **a** dormire verso mezzanotte.
cominciare **a**	Lucia comincia **a** lavorare alle 8.30.
esserci d**a**	Ci sono molte cose **da** fare.
finire d**i**	Lucia finisce **di** lavorare alle 17.

2 **10** ## La negazione

10.1 La negazione semplice

*La negazione semplice è espressa da **no** e **non**.*

No *si può trovare all'inizio o alla fine di una frase. Si usa all'inizio soprattutto per rispondere negativamente a una domanda.*	Abita a Genova? – **No**, a Savona. Lui va in vacanza, ma io **no**. Beviamo un aperitivo? – Perché **no**?
Non *si trova sempre prima del verbo. Se la frase contiene un pronome diretto o riflessivo, **non** va prima del pronome.*	Andrea **non fa** colazione. Domani **non mi alzo** presto. **Non lo** so.

10.2   La doppia negazione

*Se una frase contiene il pronome **niente**, o l'avverbio **mai**, va aggiunta la negazione **non**. In questo caso la frase non assume valore affermativo. In **Chiaro! A1** sono presenti esempi di doppia negazione, come:*

non... niente	La mattina **non** mangio **niente**.
non... mai	**Non** fai **mai** sport?

***Non** si trova sempre prima del verbo; **mai** si trova, al presente, dopo il verbo; al passato prossimo va tra l'ausiliare e il participio passato:*

Non sono **mai** stato in Italia.

❶ ***Non... mai** significa "fino ad oggi no":* **Non** ho **mai** giocato a tennis.

***Mai** può significare "qualche volta" o "una volta" se usato in una domanda:* Hai **mai** giocato a tennis?

11 Avverbi

Gli avverbi sono parole invariabili che servono a definire più precisamente frasi intere, verbi, aggettivi o altri avverbi.

I gruppi di avverbi

A seconda del loro significato, gli avverbi possono essere suddivisi in gruppi:
- *avverbi di modo:* **bene**, **male**
- *avverbi di quantità:* **molto**, **poco**, **un po'**
- *avverbi di luogo:* **qui/qua**, **lì/là**, **a destra**, **a sinistra**, **dritto**, **vicino**, **lontano**
- *avverbi di tempo:* **ieri**, **oggi**, **prima**, **dopo**, **subito**, **fa**
- *avverbi di frequenza:* **sempre**, **spesso**, **di solito**, **qualche volta**, **mai**.

I gradi degli avverbi

Il grado dell'avverbio si forma come quello dell'aggettivo:

• *molto + avverbio*	Sto **molto** bene, grazie.
• *radice dell'avverbio + **-issimo** (la desinenza così ottenuta è invariabile).*	Sto ben**issimo**, grazie.

12 Interrogativi

Chi?	**Chi** sei?	***Perché?***	**Perché** studi l'italiano?
Chi?	**Chi** hai incontrato?	***Quando?***	**Quando** hai visto il film?
Con chi?	**Con chi** vai al cinema?	***Quanto?***	**Quanto** viene la frutta?
Che cosa?	**Che cosa** significa?	***Quanto** + sostantivo...?*	**Quanto formaggio** vuole?
***Che** + sostantivo...?*	**Che lingue** parli?	***Quanta** + sostantivo...?*	**Quanta insalata** vuole?
Come?	**Come** ti chiami?	***Quanti** + sostantivo...?*	**Quanti limoni** vuole?
Dove?	**Dove** abiti?	***Quante** + sostantivo...?*	**Quante fragole** vuole?
Di dove?	**Di dove** sei?		

***Quale** (singolare maschile e femminile) diventa **quali** al plurale maschile e femminile:*

Qual**e** pacchett**o**/offert**a** preferisci?   Qual**i** pacchett**i**/offert**e** preferisci?

13 **Congiunzioni**

*Le congiunzioni servono a unire due elementi di una frase o due frasi tra di loro. In **Chiaro! A1** sono presenti le seguenti congiunzioni:*

anche	Vieni domani? C'è **anche** Carla!	**o**	Domani vado al cinema **o** in discoteca.
dunque	Sono stanco, **dunque** non esco.	**perché**	Metto la giacca **perché** ho freddo.
e	Sono francese **e** ho 56 anni.	**però**	Vengo con te, **però** torno a casa presto.
ma	Lavora a Roma, **ma** è di Bari.	**quando**	Chiamateci, **quando** arrivate.
mentre	Ascoltano la radio **mentre** studiano.	**se**	**Se** hai tempo, mi passi a trovare?

2,3,4,5,8

14 **Preposizioni**

*Le preposizioni servono a collegare tra loro elementi di una frase. Queste sono le preposizioni semplici in italiano: **di, a, da, in, con, su, per, tra/fra**. Le preposizioni **di, a, da, in, su** si possono utilizzare insieme all'articolo determinativo; in questo caso si uniscono all'articolo e diventano una sola parola.*

+	il	lo	l'	la	le	gli	i
di	del	dello	dell'	della	delle	degli	dei
a	al	allo	all'	alla	alle	agli	ai
da	dal	dallo	dall'	dalla	dalle	dagli	dai
in	nel	nello	nell'	nella	nelle	negli	nei
su	sul	sullo	sull'	sulla	sulle	sugli	sui

*Ogni preposizione può avere diverse funzioni e significati a seconda del contesto, per questo è opportuno impararle usandole. Segue un quadro sintetico delle preposizioni (e delle loro funzioni) presenti in **Chiaro! A1**.*

La preposizione *di* (valore e uso):

• *provenienza*	**Di** dove sei? – Sono **di** Monaco.
• *tempo*	**di** giorno/**di** notte **di** mattina/**di** sera **d'**inverno/**d'**estate
• *contenuto*	una lattina **di** birra un pacco **di** spaghetti
• *quantità*	un po' **di** formaggio un litro **di** latte un chilo **di** mele
• *appartenenza*	i figli **di** mia sorella il gatto **dei** vicini
• *argomento*	il corso **d'**italiano
• *funzione partitiva*	Vorrei **della** frutta. Ho comprato **dei** mirtilli.
• *in combinazione con alcuni verbi*	Lucia finisce **di** lavorare alle 17.

La preposizione *a* (valore e uso):

• *stato in luogo e moto a luogo*	Sono/Vado	**a**	casa. Roma. una festa.
	Sono/Vado	**al**	bar. cinema. ristorante. mare.

• *tempo*	**alle** nove/**a** mezzanotte **A** presto!/**A** venerdì! **a** metà ottobre
• *frequenza*	due volte **al** mese una volta **alla** settimana
• *periodo*	da venerdì **a** domenica dal lunedì **al** venerdì dalle 9 **alle** 17 dal 19 **al** 21 settembre
• *modo o maniera*	andare **a** piedi andare **a** cavallo
• *complemento di termine*	Rita ha scritto **a** un'amica.
• *funzione distributiva*	70 euro **a** persona
• *in combinazione con alcuni verbi*	Lucia va **a** dormire verso mezzanotte. Adesso comincio **a** studiare. Mi piace giocare **a** calcio.

La preposizione *da* (valore e uso):

• *periodo*	**da** venerdì a domenica **dal** lunedì al venerdì **dalle** 9 alle 17 **dal** 10 al 15 luglio
• *tempo*	**dal** 2002
• *limite iniziale*	**da** fine novembre a partire **da** 100 euro

La preposizione *in* (valore e uso):

• *stato in luogo e moto a luogo*	Sono/Vado	**in**	Svizzera. ufficio. discoteca. un pub. montagna.

• *tempo*	**in** maggio **in** primavera
• *data (anno)*	**nel** 2008
• *modo e maniera*	andare **in** bicicletta o **in** macchina

La preposizione *con* (valore e uso):

• *compagnia*	Esco spesso **con** gli amici.
• *qualità*	Prendo un gelato **con** la panna.
• *mezzo e strumento*	Si può pagare **con** la carta di credito?

La preposizione *su* (valore e uso):

• *luogo*	navigare **su** Internet un ponte **sul** Po

La preposizione *per* (valore e uso):

• *causa*	Studio l'italiano **per** amore.
• *scopo*	Studio l'italiano **per** parlare con i miei parenti.
• *tempo*	Vorrei prenotare una camera **per** un fine settimana.
• *destinazione*	**Per** me una birra, per favore.

La preposizione *fra/tra* (valore e uso):

• *luogo*	Il museo è **fra/tra** il bar e la banca.

Altre preposizioni

• *dietro*	Il distributore è **dietro** la stazione.
• *senza*	Bevo il caffè **senza** zucchero.
• *sotto*	il bar **sotto** casa
• *verso*	Vengo **verso** le undici.

Locuzioni preposizionali

• *accanto a*	Abitiamo **accanto alla** chiesa.
• *a destra/a sinistra*	Deve girare **a destra/a sinistra**.
• *davanti a*	**Davanti al** teatro c'è un'edicola.
• *di fronte a*	Il bar è **di fronte alla** stazione.
• *fino a*	Vai dritto **fino al** semaforo.
• *lontano da*	Abito **lontano dalla** stazione.
• *vicino a*	Abito **vicino alla** scuola.

15 Numeri, data e quantità

L 1, 2

15.1 I numeri cardinali

0	zero	10	dieci	20	venti	30	trenta	40	quaranta
1	uno	11	undici	21	ventuno	31	trentuno	50	cinquanta
2	due	12	dodici	22	ventidue	32	trentadue	60	sessanta
3	tre	13	tredici	23	ventitré	33	trentatré	70	settanta
4	quattro	14	quattordici	24	ventiquattro	34	trentaquattro	80	ottanta
5	cinque	15	quindici	25	venticinque	35	trentacinque	90	novanta
6	sei	16	sedici	26	ventisei	36	trentasei		
7	sette	17	diciassette	27	ventisette	37	trentasette		
8	otto	18	diciotto	28	ventotto	38	trentotto		
9	nove	19	diciannove	29	ventinove	39	trentanove		

*Nei numeri che finiscono in **-uno** e **-otto** cade la vocale finale delle decine, es.:* quarantuno, cinquantotto.
*I numeri che finiscono in **-tre** hanno l'accento sulla vocale finale, es.:* sessantatré.

L 10

Da 100 in poi

100	cento			
101	centouno	400		quattrocento
102	centodue	500		cinquecento
103	centotré	600		seicento
104	centoquattro	700		settecento
105	centocinque	800		ottocento
106	centosei	900		novecento
107	centosette	1.000		mille
108	centootto	2.000		duemila
109	centonove	10.000		diecimila
110	centodieci	1.000.000		un milione
182	centottantadue	2.000.000		due milioni
200	duecento	1.000.000.000		un miliardo
300	trecento	2.000.000.000		due miliardi

15.2 I numeri ordinali

I numeri ordinali sono aggettivi. Si trovano prima del sostantivo e concordano in genere e numero con la parola a cui si riferiscono:	1° primo	6° sesto
	2° secondo	7° settimo
	3° terzo	8° ottavo
il **primo** piano la **terza** casa.	4° quarto	9° nono
	5° quinto	10° decimo

15.3 La data

▶ *In italiano la data si forma con i numeri cardinali. Il numero ordinale si usa solo con il primo giorno del mese:*
22 marzo 2009 = ventidue marzo duemila(e)nove
1° maggio 2010 = primo maggio duemila(e)dieci.

▶ *Con le date specifiche si utilizza l'articolo determinativo (senza preposizione):*
La prima Notte bianca è stata **il** 27 settembre 2003.

▶ *Nelle lettere la data si indica nel modo seguente:*
Firenze, 25 ottobre 2009 *o* Firenze, 25/10/2009, *o* Firenze, 25.10.2009.

▶ *Per indicare un periodo racchiuso tra due giorni si usano le preposizioni **da... a:***
dal 19 **al** 21 settembre = **dal** diciannove **al** ventuno settembre

15.4 I prezzi

*I prezzi si indicano in **euro** e **centesimi**. La parola **euro** non ha la forma plurale.*

1,00 € = un euro
2, 01 € = due euro e un centesimo
2,50 € = due euro e cinquanta centesimi/due euro e cinquanta

15.5 Le quantità

1 g	un grammo	150 g	un etto e mezzo	1 kg	un chilo	1 l	un litro
50 g	mezzo etto	200 g	due etti	2 kg	due chili	2 l	due litri
100 g	un etto						

Paesi, nazionalità e lingue

paese	nazionalità	lingua
Albania	albanese	l'albanese
Argentina	argentino, -a	lo spagnolo
Austria	austriaco, -a	il tedesco
Belgio	belga (m./f.)	il fiammingo, il francese, il tedesco
Brasile, il	brasiliano, -a	il portoghese
Bulgaria	bulgaro, -a	il bulgaro
Canada, il	canadese	l'inglese/il francese
Cile, il	cileno, -a	lo spagnolo
Cina	cinese	il cinese
Cipro	cipriota (m./f.)	il greco, il turco
Croazia	croato, -a	il croato
Danimarca	danese	il danese
Estonia	estone	l'estone
Finlandia	finlandese	il finlandese
Francia	francese	il francese
Germania	tedesco, -a	il tedesco
Giappone, il	giapponese	il giapponese
Grecia	greco, -a	il greco
Inghilterra	inglese	l'inglese
Irlanda	irlandese	l'inglese
Italia	italiano, -a	l'italiano
Lettonia	lettone	il lettone
Lituania	lituano, -a	il lituano
Lussemburgo	lussemburghese	il francese, il lussemburghese, il tedesco
Malta	maltese	l'inglese, il maltese
Messico	messicano, -a	lo spagnolo
Norvegia	norvegese	il norvegese
Olanda	olandese	l'olandese
Perù, il	peruviano, -a	lo spagnolo
Polonia	polacco, -a	il polacco
Portogallo	portoghese	il portoghese
Repubblica Ceca/Cechia	ceco, -a	il ceco
Romania	rumeno/romeno, -a	il romeno/il rumeno
Russia	russo, -a	il russo
Repubblica Slovacca/Slovacchia	slovacco, -a	lo slovacco
Slovenia	sloveno, -a	lo sloveno
Spagna	spagnolo, -a	lo spagnolo
Stati Uniti, gli	statunitense, americano	l'inglese
Svezia	svedese	lo svedese
Svizzera	svizzero, -a	il francese, l'italiano, il tedesco
Turchia	turco, -a	il turco
Ungheria	ungherese	l'ungherese
Unione Europea	europeo, -a	

Griglia di comparazione tra le competenze previste per il livello A1 dal Quadro Comune Europeo di riferimento per le lingue e i contenuti di *Chiaro! A1*

	Descrizione delle competenze acquisite	Attività in *Chiaro! A1* (numero della pagina)
produzione orale	Sono in grado di presentarmi, descrivere il mio ambiente, dire che cosa faccio, da dove vengo, dove abito, che cosa mi piace. So svolgere attività analoghe anche parlando di altre persone.	*11, 13, 14, 23, 24, 41, 47, 61, 77, 101, 103*
produzione orale	Sono in grado di elencare oggetti di uso quotidiano.	*10, 32, 60, 80, 92, 94*
produzione scritta	Sono in grado di scrivere espressioni semplici, frasi isolate, liste e so fare brevi descrizioni.	*11, 12, 26, 27, 32, 42, 55, 58, 59, 70, 71, 76, 79, 91, 93, 95, 101, 103, 105, 112, 113, 114*
produzione scritta	Sono in grado di scrivere frasi su me stesso e altre persone, sul luogo in cui vivono e su ciò che fanno.	*12, 23, 26, 27, 37, 43, 46, 47, 78, 93, 103, 105, 115*
comprensione orale (ascolto)	Sono in grado di capire il senso generale di conversazioni molto semplici e formulate in modo chiaro, cogliere espressioni di uso corrente riferite a me stesso, al mio ambiente, ad altre persone e alla vita quotidiana in generale.	*16, 24, 27, 32, 35, 44, 56, 69, 77, 93, 100, 111*
comprensione orale (ascolto)	Sono in grado di capire istruzioni formulate lentamente e in modo chiaro e seguire indicazioni stradali brevi e semplici.	*57, 58, 59*
comprensione orale (ascolto)	Sono in grado di capire enumerazioni di cose e concetti legati alla vita quotidiana.	*27, 35, 42, 44, 60, 80, 93, 100, 104, 111*
comprensione scritta (lettura)	Sono in grado di riconoscere nomi, parole familiari, frasi isolate ed espressioni semplici. Riesco inoltre a capire lettere e cartoline contenenti messaggi brevi, annunci semplici, cataloghi, questionari e piccoli articoli.	*12, 25, 36, 37, 38, 44, 46, 48, 60, 64, 66, 68, 69, 71, 78, 79, 82, 89, 90, 96, 98, 100, 102, 110, 113, 114, 115, 116*
comprensione scritta (lettura)	Sono in grado di farmi un'idea del contenuto di materiale informativo semplice e di descrizioni brevi ed elementari, soprattutto con l'ausilio di immagini.	*12, 33, 37, 38, 95, 98, 110, 123*
comprensione scritta (lettura)	Sono in grado di capire indicazioni scritte brevi e semplici (per es. per andare da un luogo X a un luogo Y).	*57, 72, 95, 100*
interazione orale	Sono in grado di formulare e capire (quando sono pronunciate chiaramente e lentamente) espressioni di uso quotidiano finalizzate alla soddisfazione di bisogni elementari e concreti.	*33, 34, 56, 60, 80, 112*
interazione orale	Sono in grado di dare indicazioni e capirle (se mi vengono fornite lentamente e chiaramente) e di seguire spiegazioni semplici.	*59, 80, 95, 112*
interazione orale	Sono in grado di presentare qualcuno e usare espressioni elementari per salutare e congedarmi.	*12, 14, 22*
interazione orale	Sono in grado di chiedere a qualcuno come sta e di reagire alla risposta.	*22*
interazione orale	Sono in grado di chiedere e dare qualcosa a chi ne ha bisogno.	*34*
interazione orale	Sono in grado di chiedere e fornire informazioni semplici.	*17, 56*
interazione orale	Sono in grado di cavarmela con numeri, quantità, prezzi, orari e date.	*16, 26, 33, 35, 42, 71, 80, 111*
interazione orale	Sono in grado di formulare e rispondere a domande semplici, prendere l'iniziativa e rispondere a enunciati elementari che riguardano bisogni immediati o argomenti familiari.	*12, 14, 15, 17, 23, 24, 25, 27, 33, 37, 44, 45, 46, 47, 61, 70, 77, 81, 91, 94, 102, 105,*
interazione orale	Sono in grado di indicare il tempo usando espressioni quali: la sera, la settimana scorsa, ieri mattina, il venerdì sera, a novembre, alle tre, un mese fa, ogni giorno.	*44, 45, 56, 68, 69, 70, 78*

Indice delle fonti

Foto

Testi

Contenuto dei CD

Tabella verbi

I verbi regolari

abitare	
io	abito
tu	abiti
lui, lei, Lei	abita
noi	abitiamo
voi	abitate
loro	abitano
ho abitato	

ricevere	
io	ricevo
tu	ricevi
lui, lei, Lei	riceve
noi	riceviamo
voi	ricevete
loro	ricevono
ho ricevuto	

sentire	
io	sento
tu	senti
lui, lei, Lei	sente
noi	sentiamo
voi	sentite
loro	sentono
ho sentito	

Verbi in -ire con ampliamento del tema

preferire	
io	preferisco
tu	preferisci
lui, lei, Lei	preferisce
noi	preferiamo
voi	preferite
loro	preferiscono
ho preferito	

finire	
io	finisco
tu	finisci
lui, lei, Lei	finisce
noi	finiamo
voi	finite
loro	finiscono
ho finito	

Pronuncia: come i verbi in -scere. (vedi sotto).

Verbi in -care/-gare, -ciare/-giare, -gere/-scere

giocare	
io	gioco
tu	giochi
lui, lei, Lei	gioca
noi	giochiamo
voi	giocate
loro	giocano
ho giocato	

pagare	
io	pago
tu	paghi
lui, lei, Lei	paga
noi	paghiamo
voi	pagate
loro	pagano
ho pagato	

cominciare	
io	comincio
tu	cominci
lui, lei, Lei	comincia
noi	cominciamo
voi	cominciate
loro	cominciano
ho cominciato	

mangiare	
io	mangio
tu	mangi
lui, lei, Lei	mangia
noi	mangiamo
voi	mangiate
loro	mangiano
ho mangiato	

leggere	
	[dʒ]/[g]
io	leggo
tu	leggi
lui, lei, Lei	legge
noi	leggiamo
voi	leggete
loro	leggono
ho letto	

conoscere	
	[ʃ]/[sk]
io	conosco
tu	conosci
lui, lei, Lei	conosce
noi	conosciamo
voi	conoscete
loro	conoscono
ho conosciuto	

I verbi ausiliari avere ed essere

avere	
io	ho
tu	hai
lui, lei, Lei	ha
noi	abbiamo
voi	avete
loro	hanno
ho avuto	

essere	
io	sono
tu	sei
lui, lei, Lei	è
noi	siamo
voi	siete
loro	sono
sono stato/-a	

Tabella verbi

I verbi riflessivi

riposarsi	
io	mi riposo
tu	ti riposi
lui, lei, Lei	si riposa
noi	ci riposiamo
voi	vi riposate
loro	si riposano

sedersi	
io	mi siedo
tu	ti siedi
lui, lei, Lei	si siede
noi	ci sediamo
voi	vi sedete
loro	si siedono

Verbi con presente indicativo e/o participio passato irregolare

andare	
io	vado
tu	vai
lui, lei, Lei	va
noi	andiamo
voi	andate
loro	vanno
sono andato/-a	

aprire	
io	apro
tu	apri
lui, lei, Lei	apre
noi	apriamo
voi	aprite
loro	aprono
ho aperto	

bere	
io	bevo
tu	bevi
lui, lei, Lei	beve
noi	beviamo
voi	bevete
loro	bevono
ho bevuto	

chiudere	
io	chiudo
tu	chiudi
lui, lei, Lei	chiude
noi	chiudiamo
voi	chiudete
loro	chiudono
ho chiuso	

dire	
io	dico
tu	dici
lui, lei, Lei	dice
noi	diciamo
voi	dite
loro	dicono
ho detto	

dovere	
io	devo
tu	devi
lui, lei, Lei	deve
noi	dobbiamo
voi	dovete
loro	devono
ho dovuto	

fare	
io	faccio
tu	fai
lui, lei, Lei	fa
noi	facciamo
voi	fate
loro	fanno
ho fatto	

offrire	
io	offro
tu	offri
lui, lei, Lei	offre
noi	offriamo
voi	offrite
loro	offrono
ho offerto	

piacere	
(mi, ti, Le)	piace
(mi, ti, Le)	piacciono
(mi, ti, Le)	**è piaciuto/-a**
(mi, ti, Le)	**sono piaciuti/-e**

potere	
io	posso
tu	puoi
lui, lei, Lei	può
noi	possiamo
voi	potete
loro	possono
ho potuto	

prendere	
io	prendo
tu	prendi
lui, lei, Lei	prende
noi	prendiamo
voi	prendete
loro	prendono
ho preso	

sapere	
io	so
tu	sai
lui, lei, Lei	sa
noi	sappiamo
voi	sapete
loro	sanno
ho saputo	